D1369570

Rédaction : Suzanne Agnely et Jean Barraud
assistés de J. Bonhomme, N. Chassériau et L. Aubert-Audigier.
Iconographie : A.-M. Moyse, assistée de N. Orlando.
Mise en pages : E. Riffe, d'après une maquette de H. Serres-Cousiné.
Correction : L. Petithory, B. Dauphin, P. Aristide.
Cartes : D. Horvath.

Le présent volume appartient à la dernière édition (revue et corrigée) de cet ouvrage. La date du
copyright mentionnée ci-dessous ne concerne que le dépôt à Washington de la *première* édition.

© *Librairie Larousse. Dépôt légal 1978-3ᵉ – Nᵒ de série Éditeur 13044.*
Imprimé en Espagne par Printer S.A. Barcelone (Printed in Spain).
Librairie Larousse (Canada) limitée, propriétaire pour le Canada
des droits d'auteur et des marques de commerce Larousse.
Distributeur exclusif pour le Canada : les Éditions françaises Inc.
licencié quant aux droits d'auteur et usager inscrit des marques pour le Canada.

Iconographie : tous droits réservés à A.D.A.G.P. et S.P.A.D.E.M.
pour les œuvres artistiques de leurs adhérents.
ISBN 2-03-252114-8.
D.L.B. : 36221-1985.

l'Afghanistan

le Pakistan

l'Inde

le monde indien

le Bangla Desh

le Népal

le Bhoutan

Sri Lanka

les îles Maldives

Librairie Larousse

17, rue du Montparnasse, 75006 Paris.

Notre couverture :
Ablutions rituelles dans le Gange,
au pied des palais de Bénarès (Inde).
Phot. Nou-Explorer.

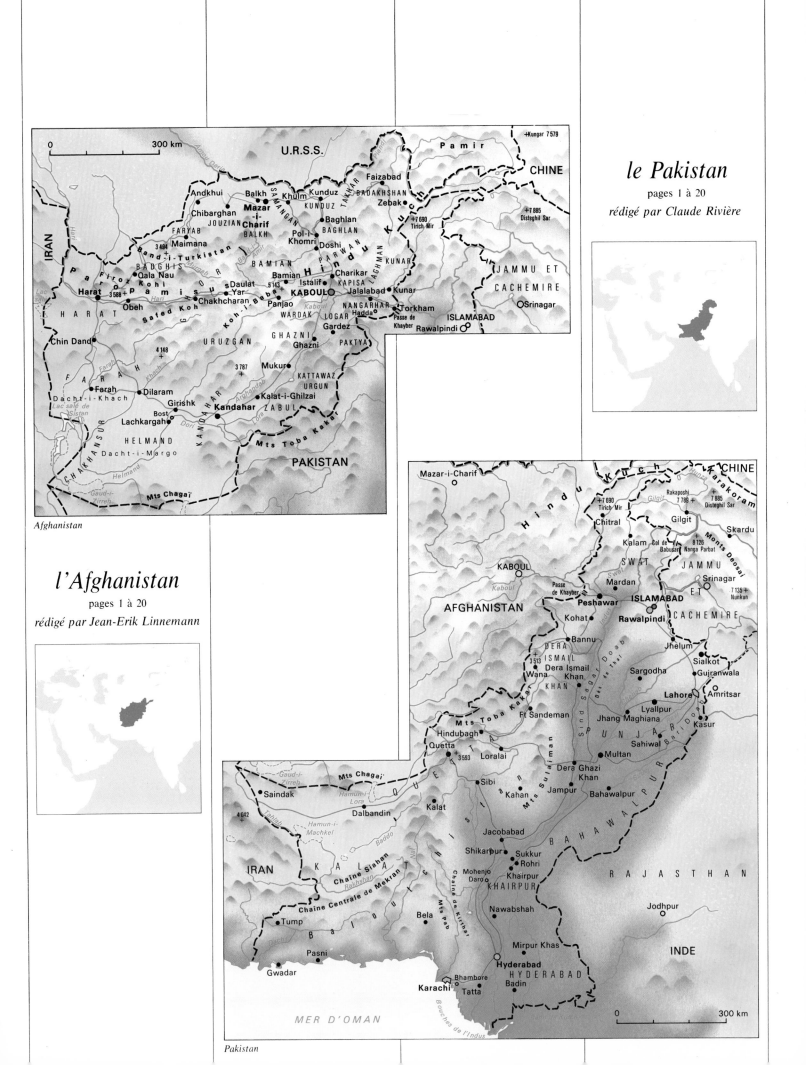

le Pakistan

pages 1 à 20

rédigé par Claude Rivière

l'Afghanistan

pages 1 à 20

rédigé par Jean-Erik Linnemann

Afghanistan

Pakistan

l'Inde

l'Inde du Nord
page 2
le Bangla Desh
page 20
rédigé par Suzanne Held

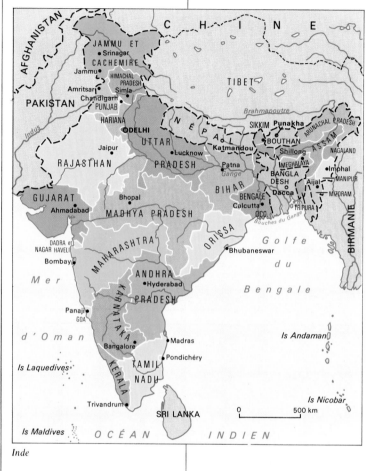

Inde

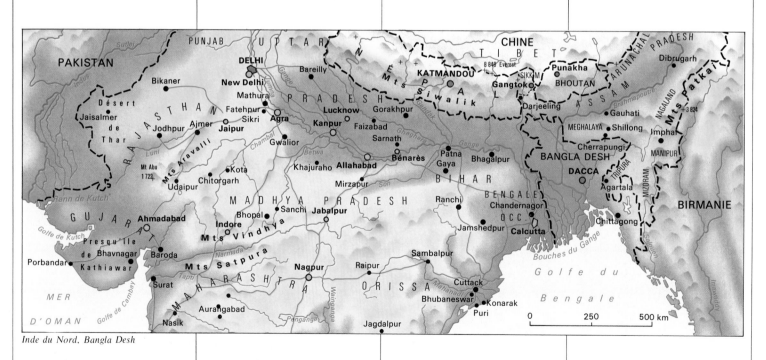

Inde du Nord, Bangla Desh

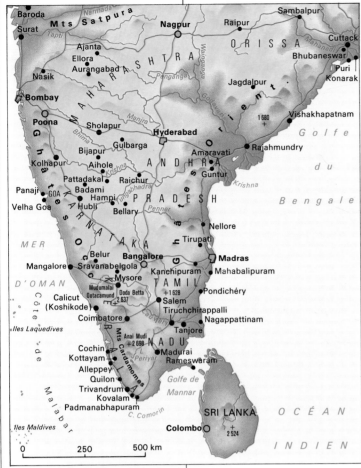

Inde du Sud, îles Maldives, Sri Lanka

Sri Lanka
pages 1 à 20
les îles Maldives
page 19
rédigé par Suzanne Held

Sri Lanka

l'Inde du Sud
page 21
l'Inde de l'Himalaya
page 41
rédigé par Suzanne Held

le Népal
pages 1 à 10
le Bhoutan
page 9
rédigé par Suzanne Held

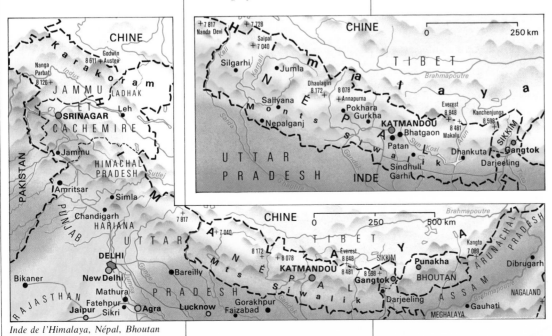

Inde de l'Himalaya, Népal, Bhoutan

l'Afghanistan

Digne de servir de séjour à un Roi des Montagnes légendaire, l'Afghanistan, légèrement plus grand que la France, est un pays entièrement continental, bordé à l'ouest par l'Iran, au nord par les républiques asiatiques de l'U. R. S. S., à l'est et au sud par le Pakistan. Près de la moitié du territoire est située au-dessus de 1 800 m d'altitude, avec un sommet de plus de 5 000 m dans la chaîne du Koh-i-Baba, qui coupe le pays en deux, et un de 7 700 m dans l'Hindū Kūch, qui prolonge le Koh-i-Baba vers la Chine. Ce relief terriblement accidenté se combinant avec de vastes étendues désertiques, les cultures ne couvrent que 13 p. 100 de la superficie totale de l'Afghanistan, alors que l'essentiel des ressources nationales proviennent de l'agriculture.

Les barrières montagneuses et la sécheresse du climat sont telles que la plupart des cours d'eau ne parviennent pas à se frayer un chemin jusqu'à la mer. Le Helmand, au sud, et le Hari, au nord, se perdent dans les sables. L'Amou-Daria — l'Oxus des Anciens — trouve une voie vers le nord pour se jeter — en vase clos — dans la mer d'Aral, en U. R. S. S. Seules, en définitive, les eaux de la rivière Kaboul, affluent de l'Indus qu'elle rejoint au Pakistan, parviennent jusqu'à l'océan Indien.

Parce qu'il est une des régions les plus rudes et les plus isolées de la planète, l'Afghanistan est un des rares pays d'Asie à avoir presque complètement échappé à l'influence des grandes puissances coloniales : aujourd'hui encore, l'originalité de ses mœurs et de sa civilisation témoigne d'une volonté de vivre à l'écart que n'ont pu vaincre ni les techniques ni les médias contemporains.

Et, cependant, jamais peut-être pays ne fut plus envahi. Situé au carrefour des civilisations chinoise et persane, sur le passage de la « route de la soie », il n'a pas éveillé les convoitises par ses richesses, mais par son importance stratégique. Dès le début de la période historique, après les grandes migrations aryennes qui, entre 2000 et 500 av. J.-C., peuplèrent l'Afghanistan, celui-ci devient une province de l'empire achéménide de Cyrus le Grand. En 330, Alexandre, parti quatre ans plus tôt de Macédoine, écrit ici quelques-uns des plus étonnants chapitres de sa prodigieuse épopée. Suivant, en quelque sorte, l'itinéraire obligatoire du voyageur occidental moderne, il fonde l'Alexandrie d'Arie (Harāt), l'Alexandrie d'Arachosie (Kandahar), passe par Kaboul, puis, remontant vers le nord, s'empare de la satrapie de Bactriane, dont la capitale, Bactres, s'appelle aujourd'hui Balkh. C'est ici que se déroulent deux des plus célèbres épisodes de la geste alexandrine : le mariage avec

▲

L'Afghanistan subit des hivers très rudes, et la neige cerne pendant de longs mois les qalas *(villages fortifiés) engourdis derrière leurs murailles d'argile et leurs grosses tours rondes. (Région de Ghazni.)*
Phot. Michaud-Rapho

1

Histoire
Quelques repères

V. 40 : la région fait partie de l'Empire achémé-nide de Cyrus le Grand.

329 : Alexandre le Grand franchit l'Hindū Kūch.

305 : la dynastie Maurya, qui règne sur l'Inde, contrôle la partie orientale du pays.

250 : l'empereur Açoka, converti au bouddhisme, introduit le nouveau culte en Afghanistan.

129 : les Scythes venus du nord envahissent la Bactriane.

IIe s. apr. J.-C. : le roi indo-scythe Kanishka achève de répandre le bouddhisme dans le pays ; son règne voit l'épanouissement de l'art du Gandhara, où les influences hellénistiques et boud-dhiques se marient harmonieusement.

220 : règne de la dynastie persane des Sas-sanides.

484 : les Huns Hephtalites vainquent les Perses et pillent le pays.

651 : invasion arabe sous la direction d'un calife de la dynastie des Omeyyades.

780-998 : les dynasties des Saffarides et des Samades, toutes deux d'origine persane, se par-tagent le pays.

990-1030 : Mahmud, d'origine turque, chef de la dynastie des Ghaznévides, lance, à partir de Ghazni, sa capitale, des raids contre la Perse et l'Inde ; ce guerrier est également un mécène.

1175 : Mohammed de Ghor, fondateur de la dynastie des Ghorides, chasse les Ghaznévides et, à son tour, envahit l'Inde.

1221 : Gengis khan extermine les populations de Bamian, de Balkh et de Harāt.

1380-1404 : Tamerlan (Timur Lang, « le Boi-teux ») conquiert le pays.

1404-1507 : âge d'or de la civilisation afghane avec la dynastie des Timurides, descendants de Tamerlan.

1504 : Baber prend Kaboul, puis s'empare de l'Inde, où il fonde la dynastie des Grands Moghols.

XVIe-XVIIe s. : l'Afghanistan est partagé entre l'Empire moghol et la dynastie perse des Séfé-vides ; époque de décadence.

1709-1722 : le chef afghan Mir Uways chasse les Perses ; son fils, Mahmud khan, prend Ispahan.

1747-1773 : Ahmad khan, « père de la nation » et premier roi d'Afghanistan, fonde la dynastie des Durranis.

Début du XIXe s. : lutte d'influence entre la Russie et l'Angleterre ; période de grande con-fusion.

1863-1879 : règne de Chir Ali, qui joue la carte russe ; en 1879, réaction des Anglais, qui éta-blissent un protectorat de fait sur le pays.

1880-1901 : Abd al-Rahman khan, neveu de Chir Ali, unifie le pays et entreprend des réformes.

1919 : par le traité de Rawalpindi, l'Angleterre reconnaît l'indépendance de l'Afghanistan.

1929-1933 : règne de Nadir chah, qui meurt assassiné.

1933-1973 : règne de Zahir chah, renversé par son cousin Daoud, qui proclame la république.

1978 : un nouveau coup d'État renverse le président Daoud.

1979 : deux coups d'État successifs. Babrak Karmal au pouvoir. Affrontements armés.

Roxane, fille de l'un des principaux adversaires du conquérant, et la révolte des pages, indignés par l'introduction à la cour du protocole persan, qui assimile le souverain à un dieu. De la Bactriane, au nord, au Gandhara, à l'est, l'in-fluence hellénistique allait, en quelques années, marquer si profondément les esprits qu'elle résista aux siècles de bruit et de fureur dont cette patrie des batailles fut plus tard victime. De ce passage, de cette fécondation naquirent les premières représentations du Bouddha et les premières manifestations de la grande sculpture indienne. Dans l'immense steppe du Nord, sous les yourtes (tentes) de feutre des nomades qui élèvent les chevaux du *bozkachi* (sport équestre national), le nom d'Iskandar (Alexandre) se prononce encore avec respect.

Lorsque les fiefs tenus par les lieutenants d'Alexandre se furent effondrés l'un après l'autre, l'Inde et la Perse se partagèrent le pays jusqu'à l'arrivée, en 651, des Arabes, qui intro-duisirent l'islam dans cette terre placée jusque-là sous la double invocation de Zoroastre et du Bouddha. Le territoire s'émietta entre des dynasties rivales jusqu'en 1221, où Gengis khan supprima l'objet des litiges en détruisant tout ce qu'il trouvait sur son passage. Il fallut attendre cent cinquante ans et l'arrivée de Tamerlan, le Boiteux, chef de guerre d'origine turque, pour que le pays sortît quelque peu de sa torpeur.

Après les Mongols, les Moghols : en 1504, Baber reprit Kaboul avant d'aller fonder l'em-pire des Indes. Une fois de plus, l'Afghanistan se trouva soumis partie à l'influence indienne, partie à la mouvance persane, avec la dynastie des Séfévides. Cette situation se prolongea jusqu'au XVIIIe siècle, où, par un singulier retour des choses, on vit deux chefs afghans faire trembler les anciens maîtres du pays : Ispahan fut mise à sac par Mahmud khan, et, à Delhi, Nadir chah s'empara du trésor des Grands Moghols et épousa l'une de leurs filles.

Peu à peu, un embryon de conscience natio-nale commença à se faire jour. Le chef d'une tribu pachtoun, Ahmad khan, fonda, en 1747, la première dynastie autochtone, au moment même où l'Angleterre commençait à s'intéres-

Vêtues du tchadri qui fait d'elles des fantômes ano-nymes, les femmes afghanes observent le monde exté-rieur à travers une étroite ouverture recouverte d'un tissu à grosse trame.
Phot. Michaud-Rapho

ser de fort près à l'Afghanistan, voisin de son nouvel empire. Les guerres qui s'ensuivirent ne tournèrent pas toujours à l'avantage d'Albion, qui, renonçant à coloniser le pays, se contenta d'un protectorat et d'une présence symboli-que. En 1880, Abd al-Rahman khan monta sur le trône : premier souverain progressiste du pays, mélange de Louis XI et d'Atatürk, il laissa, à sa mort, un État enfin digne de ce nom. Indé-pendant officiellement en 1919, pratiquement en 1921, l'Afghanistan fut gouverné, jusqu'en 1973, par la dynastie pachtoun. Le dernier roi, Zahir chah, fut renversé par son cousin Daoud, qui proclama la république. En 1978, un autre coup d'État a ouvert une nouvelle période d'incertitudes : l'influence soviétique se fait actuellement sentir de manière accentuée, alors que les milieux religieux traditionnels n'ont peut-être pas encore dit leur dernier mot.

Une mosaïque de peuples

Peuplé de 17 millions d'habitants environ (mais les estimations varient beaucoup selon les sources), l'Afghanistan est une véritable mosaï-que d'ethnies, si farouchement indépendantes les unes des autres qu'elles ont bien du mal à assimiler l'idée de nation. Représentant à peu près 50 p. 100 de l'ensemble, les Pachtouns (ou Pathans), nomades ou sédentaires, éleveurs ou propriétaires terriens, se sont de tout temps taillé la part du lion dans l'attribution du pouvoir. Farouches gardiens de la célèbre passe de Khayber, guerriers et fabricants d'armes réputés, ils se font peu de cas des limites fronta-lières créées par les Britanniques et posent, de ce fait, de délicats problèmes aux autorités afghanes et pakistanaises.

Seconde ethnie par ordre d'importance, les Tadjiks, d'origine persane, sont les artisans, les poètes, les intellectuels et les bourgeois du pays : par la délicatesse de leur mise et le raffi-nement de leurs mœurs, ils évoquent la grande tradition des cours hospitalières et galantes où, après avoir tant combattu, on apprenait à vivre en se consacrant aux arts.

Les descendants des Mongols de Gengis khan occupent l'autre extrémité de l'échelle sociale : les Hazaras sont des paysans pauvres ou de simples portefaix, les Ouzbeks se spécia-lisent dans l'élevage des moutons karakuls, dont la peau fournit l'astrakan. Les cavaliers immortalisés par le roman de J. Kessel, maîtres du *bozkachi*, le jeu royal par excellence, sont des Ouzbeks.

Et puis il y a les Turkmènes (ou Turcomans) d'origine turque, paysans sédentaires qui culti-vent le riz de montagne et le blé dur et soignent leurs vergers pendant que leurs femmes tissent les tapis les plus réputés d'Afghanistan ; les Baloutches, nomades qui survivent péniblement dans les déserts du Sud ; les purs Mongols et, dans les deux régions les plus difficilement ac-cessibles du pays, les Kirgiz du Pamir et les Nuristanis du Nuristan, également appelés Ka-firs (Infidèles) parce que, jusqu'au XIXe siècle,

Par son endurance et sa légendaire sobriété, le chameau est une bête de somme idéale pour les nomades qui peuplent le centre montagneux de l'Afghanistan.
Phot. Weisbecker-Explorer

ils résistèrent à l'islam. On sait peu de choses de leur religion, sinon qu'il devait s'agir d'un culte solaire, où la dévotion aux ancêtres tenait une large place. Une statue du défunt ornait sa tombe et, au foyer familial, une chaise basse, portant son effigie, était destinée à recevoir son ombre lors de visites éventuelles. Le terrible émir Abd al-Rahman mit fin par la force à ces pratiques, mais, aujourd'hui encore et bien que les antiquaires se les arrachent, les chaises d'ancêtres subsistent au Nuristan : on a simplement supprimé les effigies pour ne pas trop irriter les musulmans, allergiques à la représentation de la figure humaine. À l'exception des Hazaras, qui sont chiites, les Afghans pratiquent donc désormais, dans leur ensemble, l'islam sunnite des musulmans orthodoxes.

Le voyageur qui aborde le pays a beaucoup de mal, au début, à identifier les ethnies. Pour lui, ce brassage de population se traduit surtout par l'incroyable diversité du costume. Marquant le statut social, familial et racial de son propriétaire, celui-ci se porte comme une enseigne ou un avertissement, avec la fierté que l'on attachait autrefois chez nous à l'uniforme. Du plus humble berger au gouverneur provincial, c'est à qui se fera la tête et la silhouette les plus étonnantes. Les vieillards, surtout, sont d'une coquetterie ineffable et semblent défier la grisaille du désert par un véritable feu d'artifice de couleurs : un turban mauve et une houppelande vert et or, assortis d'une barbe flamboyante de henné, sont considérés comme la tenue normale et quotidienne de l'honnête homme qui a passé quarante ans.

Les femmes, à première vue, paraissent les grandes sacrifiées de cette symphonie : face à tant de mâles éblouissants, elles sont enfermées sous leur *tchadri*, le vêtement le plus enveloppant du monde, qui dissimule jusqu'à leurs

◄
Non voilées, les femmes nomades au visage tatoué portent sur elles, sous forme de bijoux d'argent, la fortune de la famille et revêtent, lors des fêtes tribales, des vêtements somptueusement brodés.
Phot. Michaud-Rapho

▲
Le long des pistes qui sillonnent les montagnes, des villages se tapissent à ras du sol auprès des points d'eau, se détachant à peine de la terre dont ils sont pétris, ce qui leur confère un étrange mimétisme.
Phot. AFIP

mains. Quant aux yeux, ils sont cachés derrière un treillis serré, véritable grillage de grosse toile. Et cependant elles parviennent à faire de ce vêtement cellulaire un instrument d'élégance. Souvent noir du côté de Kaboul et blanc dans la région de Bamian, le *tchadri* peut être mauve, bleu pâle ou violet : pour peu qu'il s'arrondisse en une courte traîne, il fait songer aux courtisanes masquées d'un bal vénitien.

Généralement considéré comme rétrograde par les voyageurs occidentaux, et notamment par les féministes militantes, le *tchadri* tend cependant à se répandre dans le pays, et cela pour une raison inattendue : réservé, en principe, aux citadines, plus exposées que leurs sœurs campagnardes à l'indiscrétion des regards masculins, il est réclamé par les paysannes qui, l'ayant remarqué en ville à l'occasion d'un marché, le considèrent comme un signe extérieur de bourgeoisie. Les fermiers, assez perplexes, ont dû offrir un *tchadri* à leur épouse, en se demandant, avec une certaine inquiétude, comment elle parviendrait désormais, en cet incommode équipage, à s'acquitter des travaux des champs. Aujourd'hui, il faut remonter vers le nord, chez les Ouzbeks et les autres tribus nomades, pour trouver des femmes au visage découvert, vêtues de somptueuses robes de velours et parées de bijoux d'argent, qui dévisagent hardiment l'étranger et arpentent à longues enjambées les pâturages de la Bactriane.

Le bazar
et la maison de thé

Dans un pays où les communications restent extrêmement difficiles et où les paysans vivent à l'écart les uns des autres dans de véritables forteresses de pisé, percées de meurtrières et défendues par des portes de château fort, les points de rencontre essentiels sont d'une part le bazar, d'autre part la *tchaïkhana*, la maison de thé.

Au bazar, chaque échoppe, large de deux mètres à peine, constitue un tableau de genre. Cinquante mètres de bazar font une galerie de Bruegel et de Rembrandt. Alors que l'on trouve aujourd'hui des ustensiles en plastique jusque chez les Pygmées, l'Afghan reste obstinément fidèle aux objets qu'utilisaient ses pères. Aucun musée de traditions populaires ne déploie de telles collections d'outils, si polis par l'usage et si perfectionnés par des siècles d'humbles améliorations qu'ils accèdent à la dignité d'œuvres d'art. Un archet à carder la laine, une balance dont les poids sont des pierres, une scie qui mord dans le tendre bois du peuplier semblent sortir tout droit d'une miniature du Moyen Âge illustrant les travaux et les jours. Et, en même temps, selon l'expression consacrée, dès qu'un problème se pose, « on trouve tout au bazar ». Les acheteurs de produits de la technologie occidentale le savent bien : faute de pièces détachées, ces fragiles merveilles tombent souvent en panne, et c'est l'artisan du bazar qui, avec sa forge et son maillet de fer, parviendra, à force d'ingéniosité et de patience, à remettre la machine en marche.

Quant à la maison de thé, elle tient à la fois du club, de l'auberge espagnole et du dernier salon où l'on cause. Qu'elle se trouve en rase campagne, au carrefour de deux routes ou au détour d'une ruelle du bazar, elle réunit les voyageurs, les marchands ambulants et tous ceux qui estiment qu'il fait décidément trop chaud pour travailler. On ôte ses chaussures, on s'étend sur une natte, et l'on reçoit, sans avoir fait un geste ni prononcé un mot, de minuscules tasses de thé très fort, très chaud et très sucré, dont la succession marquera l'écoulement des heures. En province, il est pratiquement impossible à un étranger de payer ses consommations : lorsqu'il fait mine de s'en aller, l'un des farouches visages de l'assistance se fend brusquement d'un sourire, accompagné du geste large qui, dans toutes les langues du monde, signifie : « Vous êtes mon invité. » Et pas question de refuser. Dans un pays où un regard de travers peut pousser au meurtre et déclencher les interminables règlements de comptes des vendettas, l'hôte reste sacré et n'a, en fin de compte, qu'un seul devoir : celui de se laisser choyer. Et plus son amphitryon sera pauvre, plus sa générosité sera princière.

Alors, on se rassoit, on boit d'autres tasses de thé, on offre une cigarette, on regarde les fumeurs de *chilim* (pipe à eau), les perdrix encagées qui s'affronteront un jour ou l'autre en combat singulier, les gamins accroupis dans la ruelle, entrechoquant des œufs durs : celui dont l'œuf se fend le premier a perdu. C'est l'heure où les grands voyageurs, les « routards », les hippies échangent de précieux renseignements sur l'état d'une piste, sur le degré de confort d'une étape, sur l'emplacement exact d'une pompe à essence. Car, ici, rien ne vaut

▲

Grands spécialistes des tapis, les Turkmènes produisent, à côté des prestigieuses carpettes au point noué, des articles plus rustiques, les kilims, *tissés sur des métiers rudimentaires.*
Phot. Michaud-Rapho

la tradition orale. Les guides, sitôt publiés, sont périmés ; les cartes routières ne sont guère fiables, et l'on apprend vite à compter d'abord sur le dieu hasard et sur la bonne étoile qui marque les chemins de l'aventure.

Au crépuscule s'allument les lampes à acétylène. Le bazar brille de nouveaux feux. On voit passer des carrioles cloutées de cuivre et tapissées de tentures cramoisies, dont le conducteur brandit un fouet orné d'un chapelet de pompons rouges. Même goût des couleurs violentes pour les camions qui foncent vers la pompe à essence en essayant de se couper mutuellement le chemin, comme des chameaux assoiffés courant vers l'abreuvoir : leur carrosserie est entièrement décorée de vues de La Mecque, de scènes de chasse, de portraits de femmes, d'avions mauves, de fleurs de lotus, de pampres et de glycines. Pas un centimètre carré n'échappe à ces bigarrures : l'art pour l'art n'est pas un vain mot lorsqu'il s'agit de lutter contre la torpeur des steppes et la monotonie d'un univers presque exclusivement minéral.

De Harāt à Kaboul
en passant par Kandahar

Voie d'accès traditionnelle pour qui vient de l'ouest, la grande route du Sud, construite moitié par les Américains, moitié par les Soviétiques, déroule sur plus de mille kilomètres un tracé impeccable dans un paysage de création du monde. Elle vous fait découvrir la solitude, le vent de sable, les perspectives estompées, la plaine jalonnée de palais en ruine et de moulins à vent entourés de murs destinés à les protéger... de la violence du vent !

Ancienne capitale du Khorasan iranien, détruite et rebâtie par Alexandre, rasée par Gengis khan et par Tamerlan, reconstruite par

▶

La maison de thé est le rendez-vous habituel des hommes : on y vient échanger les dernières nouvelles et bavarder longuement entre amis.
Phot. C. Lénars

la bru de ce dernier, la reine Goharchad, Harāt, longtemps tenue par les Perses, n'a été rattachée définitivement à l'Afghanistan qu'en 1929. C'est donc, au sens plein du terme, une de ces villes-carrefours où les civilisations se heurtent souvent et se marient parfois. De son passé tumultueux, elle a conservé des tombeaux de poètes, l'irrigation qui en fait une oasis de verdure et des monuments qui respirent la paix. La mosquée du Vendredi, en voie de restauration depuis trente ans, grâce à un impôt spécial sur le sucre, abrite un atelier où les faïences sont peintes et cuites selon une technique qui n'a pas varié depuis la grande époque des enlumineurs d'Ispahan. À gauche de l'entrée principale, les calligraphies des briques vernissées offrent un témoignage presque unique de l'art de la dynastie des Ghorides, qui, entre le

▲

Descendant des mongols de Gengis khan, les paysans hazaras vivent au milieu des solitudes arides du plateau central, dans des villages aux maisons basses, faites de pierre et de boue, et protégées par une tour de guet.
Phot. Weisbecker-Explorer

XIIe et le XIVe siècle, marqua d'un trait de feu l'histoire afghane. Son fondateur, Mohammed de Ghor, conquérant de Delhi et de Bénarès, avait établi sa capitale au centre même du pays, à l'endroit où se dresse aujourd'hui le solitaire minaret de Djam, aussi connu que difficile d'accès. Pour les voyageurs qui ne pourront l'atteindre, c'est une raison supplémentaire de s'attarder longtemps à la mosquée de Harāt.

Le mausolée en forme de turban bleu de la reine Goharchad, les six minarets qui veillent sur celle-ci en gardiens attentifs, le parc et la maison de thé de Takht-i-Sofar, les fresques naïves du sanctuaire de Gazorgah, dont l'architecte s'est représenté sous les traits d'un chien de marbre allongé devant l'entrée : autant de points de repère pour les amoureux d'une oasis miraculeuse, sans équivalent dans le pays. Au bazar — l'un des plus intéressants d'une région qui en compte tant —, on négocie longuement les manteaux, les couvertures et les chapeaux de loup, de renard et de lynx qui donnent vite à leurs heureux propriétaires l'allure de boyards barbares. Les échoppes sont pleines de verres bleus, soufflés suivant une méthode vieille comme le monde, et de précieuses torsades d'argent, destinées à servir de dot aux belles Afghanes ou à parer, pour un soir, les touristes occidentales. Lorsque, après maint palabre et les marchandages de rigueur, le marché est conclu, le vendeur s'assoit par terre et gratte un air guilleret sur sa longue cythare pour exprimer sa satisfaction.

La citadelle aux murs écroulés, le vieux pont sur le Hari, les tombeaux, les réservoirs d'eau, les coupoles de faïence bleue des écoles coraniques donnent à la ville un aspect quelque peu irréel. Dans les jardins abandonnés dorment, parmi les chardons, les tombes aux dalles brisées des poètes, des calligraphes, des miniaturistes qui contribuèrent à faire de Harāt,

jusqu'au XVIe siècle, l'un des hauts lieux de l'Islam asiatique.

Via Farah, petit bourg où toutes les voitures s'arrêtent pour faire le plein d'essence et permettre à leur conducteur de se dégourdir les jambes, on atteint Girishk, où l'on bifurque vers le sud pour aller voir les ruines des palais d'hiver de Bost, l'antique Lachkargah de l'Empire ghaznévide : en l'an 1000, le sultan Mahmud attirait ici tout ce que la Perse pouvait compter de poètes-troubadours et de bardes ambulants. Le long des rives du Helmand, où s'affairent aujourd'hui les ingénieurs qui s'efforcent d'irriguer le désert, s'alignent des structures fantomatiques, hantées par les chauves-souris, déchiquetées par le vent, le temps et les hommes. Après tant et tant d'ombres, la silhouette triomphale de l'arc de Bost, vigoureusement restauré par les archéologues, fait l'effet d'un habit trop neuf au milieu d'oripeaux ennoblis par les siècles. Il marque, au sud de la ville, l'entrée d'un monde tourné vers la Perse.

Deuxième ville du pays, Kandahar — déformation du nom d'Iskandar (Alexandre) — fut, au XVIIIe siècle, la capitale de l'Afghanistan. Il n'y reste pas grand-chose à voir, si ce n'est les trois bazars spécialisés dans les bijoux, les poteries et les vêtements brodés (chemises blanches et *poustines*, les manteaux en peau de mouton retournée). On y déguste des grenades, des pêches et des raisins également succulents, qui rappellent au voyageur assoiffé que la plupart des arbres fruitiers européens sont originaires de ces régions.

La mosquée de Khergai Charif renferme, paraît-il, la chemise du Prophète, mais il est impossible à un infidèle d'apercevoir, même de loin, cette précieuse relique. Le «trône de Baber», qui couronne la Chilzina, un escalier taillé dans le roc où sont inscrits les triomphes du Grand Moghol, suppose une escalade pénible

sous un soleil de plomb. Mieux vaut sortir de la ville et aller flâner du côté des jardins de Baba Sahib. Sur la route, les tombes des saints hommes se reconnaissent aux accumulations de cailloux et aux bouquets d'étendards de chiffons, dont chacun représente une prière ou un vœu. Le parc, parfaitement bucolique et apparemment consacré tout entier aux délices de la méditation, est terriblement bruyant les jours de fête : on y organise des combats de béliers ou de chameaux, sur lesquels les parieurs engagent jusqu'à leur *poustine*.

Ghazni mérite un arrêt pour son musée d'Art islamique, installé dans un mausolée aux lignes très pures ; on y remarque surtout de belles plaques de marbre à inscriptions coufiques, provenant des fouilles voisines du palais de Mahmud III, souverain du XIe siècle qui fit édifier les célèbres minarets de la ville. De forme octogonale, décorés de calligraphies au dessin très savant, ces énormes minarets symbolisent spectaculairement le triomphe de l'islam sur le bouddhisme des Kouchans indiens. Après l'architecture des vainqueurs, voici, à la sortie de la ville, celle des vaincus : au Tépé Sardar, les *stupas* écroulés et les bouddhas brisés sont, pour le voyageur venant de l'ouest, le premier témoignage tangible de l'une des principales aventures spirituelles du monde. Rencontre émouvante à l'orée d'un modeste bourg, quelque part dans le désert.

Si l'on dispose d'un véhicule tout terrain, on peut, après Ghazni, quitter la route principale et piquer vers l'est pour aller explorer Gardez et le Paktya, région de forêts et de cultures qui contraste singulièrement avec les étendues arides traversées jusqu'ici. Il s'agit là d'une incursion en pays pachtoun, loin des sentiers battus, c'est-à-dire d'une aventure qui peut prendre plusieurs jours, mais qui permet de voir d'admirables villages fortifiés et une vie rurale pratiquement inchangée depuis des millénaires.

L'arrivée sur Kaboul est précédée, comme pour mieux faire rêver le voyageur, par l'apparition de plusieurs caravansérails très dégradés par le temps, mais dont les proportions gigantesques montrent l'importance des caravanes qui y trouvaient jadis refuge. En traversant ces

▲

Ancienne capitale d'une puissante dynastie de sultans, Ghazni a conservé les bases octogonales, décorées de panneaux à motifs géométriques, de deux énormes minarets que les conquérants musulmans édifièrent pour célébrer le triomphe de l'islam sur le bouddhisme.
Phot. Michaud-Rapho

▶

Seul vestige d'une ville rasée par Gengis khan, le minaret solitaire de Djam est l'un des plus élevés du monde : dans une vallée sauvage, il dresse à 65 m de hauteur trois étages de brique rose sur un socle à pans coupés.
Phot. A. Abbe

salles vides, une vérité paradoxale s'impose : le trafic, sur les pistes afghanes, était plus important au XVe siècle qu'il ne l'est aujourd'hui.

Kaboul et ses environs

Mise à la mode en Occident, au cours des années 70, par la publicité douteuse que lui faisaient les hippies en mal de drogue, la capitale de l'Afghanistan, aujourd'hui débarrassée de ses hôtes indésirables par une énergique action policière, est une immense agglomération de maisons basses, qui s'enroule autour d'éperons montagneux et évoque davantage un campement de nomades, toujours prêt à se défaire, qu'une métropole au sens classique du terme.

Située à 1 800 m d'altitude et peuplée, estime-t-on, de plus d'un demi-million d'habitants, Kaboul est le lieu de rencontre de toutes les ethnies du pays, qui continuent à vivre en ville à leur manière, avec un naturel admirable. Chaque montagnard y va son train, maître absolu de lui-même et des siens, seigneur gueux de tout l'univers, à la fois curieux et dédaigneux des mystères de l'électricité et des encombrements de la circulation. Les bazars aux oiseaux, aux épices, aux bijoux, aux poteries pourraient servir de décor à une superproduction des *Mille et Une Nuits*. À la porte des maisons de thé, des gamins de dix ans, sérieux et graves comme Aladin, gourmandent à voix basse leurs serviteurs désinvoltes. En plein centre passe une caravane de chameaux de Bactriane, chargés de blocs de glace arrachés à la montagne. Enveloppés de paille, ceux-ci ont résisté pendant des jours à la traversée du désert ; détaillés à coups de hache, ils font la joie des ménagères et des enfants, qui en sucent les fragments comme autant de sorbets. Le long de la rivière Kaboul, marchands de tapis et antiquaires attirent les bourgeois pakistanais et indiens venus chercher ici, en été, une fraîcheur toute relative. Et, partout, les « routards », qui se retrouvent le soir au Khayber Restaurant pour y tenir leur bourse aux nouvelles et passent leurs journées à fouiner dans les arrière-boutiques, à la recherche de la pièce détachée, de la pile électrique ou du chargeur de pellicule sans lesquels ils ne sauraient décemment repartir. Excellent prétexte pour s'abandonner pendant des semaines à la torpeur heureuse de Kaboul. À la grande poste sont affichés des télégrammes et des avis de recherche dans toutes les langues, envoyés par des familles éplorées réclamant à cor et à cri des nouvelles de leur rejeton, cependant que, à côté, on peut lire des petites annonces dans ce genre : « Cheval de qualité à vendre d'urgence. 200 F, harnachement compris », ou bien : « Échangerais 2 CV en triste état contre bicyclette flambant neuve. »

Deux havres de paix étonnants dans cette ville sans arbre : les jardins de Baber et le Musée archéologique. Dans les premiers, sous les immenses platanes que les poètes musulmans chantent comme Ovide chantait l'olivier,

▲ *Harāt : la mosquée du Vendredi est somptueusement ornée de faïence émaillée : des motifs géométriques ou floraux encadrent des versets du Coran et des citations de poètes.*
Phot. Weisbecker-Explorer

▶ *Dans les steppes du Turkestan afghan, au carrefour des routes caravanières, le bourg de Tashkurgan est un important marché où Tadjiks, Ouzbeks et Turcomans échangent leurs tapis, leurs broderies et leurs bijoux.*
Phot. Michaud-Rapho

▲

La pierre tendre de Bamian a facilité la sculpture du colossal Grand Bouddha, haut de 53 m, mais aussi, malheureusement, les mutilations que lui ont infligées les musulmans.
Phot. Michaud-Rapho

dort le terrible ancêtre de tous les Grands Moghols. Les visiteurs qui connaissent les somptueux mausolées que ses descendants s'élevèrent à eux-mêmes du côté d'Agra ou de Delhi songeront peut-être que le vieux Roi des Montagnes donne ici, par-delà les siècles, une sévère leçon de modestie. Quant au Musée archéologique, bien modeste si on le compare au musée Guimet ou aux grandes collections américaines, il est fort émouvant. Derrière les vitres poussiéreuses, dans les salles mal éclairées, la statue bottée de Kanishka, le plus grand souverain de la dynastie des Kouchans (IIe s.), le couple royal décapité du Fondukistan, les ivoires de Bégram, les statuettes voluptueuses de l'art gupta feront vibrer les lecteurs de Malraux et des *Voix du silence*, tous ceux que fascinent la métamorphose des dieux et l'ombre des civilisations mortes.

Ceux-là pourront, aux environs immédiats de Kaboul, se lancer à l'assaut de fort mauvaises pistes pour essayer de retrouver les sites d'où les archéologues ont extrait ces trésors. Au nord-est, Kapisa, l'antique Bégram, étape de la route des Indes suivie par Alexandre, est toujours dominée par un fort construit au temps

▲

Aux alentours du Ve siècle, des moines bouddhistes ont creusé, dans la falaise de la vallée de Bamian, des centaines de grottes et des niches abritant des statues gigantesques.
Phot. Weber-Fotogram

du conquérant. Au sud-est, Goldara conserve deux *stupas* du IIIe siècle dans un site d'une sauvagerie et d'un isolement absolus.

Quant à ceux qui s'intéressent surtout aux contacts humains, ils partiront de préférence le vendredi, jour de congé, vers le nord-ouest, en direction de Paghman, le village où le bon peuple s'assemble dans les jardins de l'ancienne résidence d'été royale. Les maisons de thé y sont particulièrement accueillantes, et le raisin de la vallée est délectable.

Bamian et Band-i-Amir, les grandes classiques

Excursion classique, à faire absolument : celle de Bamian, le site archéologique le plus passionnant de l'Afghanistan. Géographie, légende, histoire, tout concourt à faire de ce haut lieu une vision inoubliable. Édifiée au début de l'ère chrétienne par l'empereur Kanishka, Bamian symbolise, avec ses bouddhas géants taillés dans la falaise, la résistance bouddhique à

▶

Saisissant contraste avec les pentes desséchées de l'Hindū Kūch, les eaux bleues d'un des lacs de Band-i-Amir reflètent la seule trace de la présence humaine dans cette région déserte, l'humble mosquée dédiée à Ali, gendre de Mahomet.
Phot. Michaud-Rapho

l'Afghanistan

13

l'islam : lorsque l'Afghanistan se convertit à la foi musulmane (VIIᵉ s.), Bamian resta fidèle à son culte pendant près de trois siècles. Protégée par une immense aura de spiritualité, la ville, croyait-on, tiendrait à jamais en respect les envahisseurs. En fait, elle ne parvint pas à arrêter Gengis khan : en 1222, l'impitoyable Mongol passa toute la population au fil de l'épée.

La vallée encaissée où se dressent les bouddhas géants est gardée d'un côté par la ville Rouge, où les archers indiens guettaient, du haut de la falaise, l'arrivée toujours probable, toujours remise, des hordes du *Désert des Tartares*, de l'autre par Chahr-i-Gholgholha, la ville des Murmures, où rôde le fantôme inconsolable de Lala Khatum, la princesse félonne qui, jalouse des amours du roi son père, ouvrit les portes de Bamian à Gengis khan. Autre légende dans la vallée du Dragon, où Ali, gendre du Prophète, arracha, tel saint Georges, une sublime jeune fille aux appétits du monstre.

Voici enfin les deux bouddhas géants, respectivement hauts de 35 m et 53 m. On a beau être prévenu, la surprise est immense. Entourés d'une véritable ruche de grottes, d'un dédale de niches troglodytiques où vivaient les moines et où s'égarent les touristes, ils ont le visage raboté des ruines immémoriales, la présence écrasante du sphinx des pyramides. Par des escaliers creusés dans le roc, on atteint le sommet des statues : autour de leur tête, des fresques à demi effacées montrent des *Apsaras*, les danseuses célestes, femmes en forme de flammes, guerrières et terriblement voluptueuses.

Le coin le plus charmant de la vallée se trouve, bien entendu, à l'écart de la foule. C'est le tombeau de Mir Ali Yakhsouz, « un saint homme qui aimait les enfants », comme l'explique son épitaphe, et que les femmes en instance de progéniture viennent prier au crépuscule.

◄
Anéanti par les hordes de Gengis khan, le puissant sultanat des Ghorides, qui, au XIIᵉ siècle, conquit une partie de l'Inde, n'a laissé que quelques ruines éparses aux alentours de Harāt.
Phot. Michaud-Rapho

▲
Vue de la ville Rouge, dont les fortifications se confondent avec la falaise, la verdoyante vallée de Bamian apparaît comme une oasis fertile dans la désolation de l'Hindū Kūch.
Phot. Charles-Atlas-Photo

À 80 km de là, au bout d'un chemin montant, sablonneux, malaisé, se dissimulent, à Band-i-Amir, sept lacs superposés en terrasses, dont les eaux couleur de lapis-lazuli se déversent d'un bassin dans l'autre par de silencieuses cascades. Qu'en dire, sinon que le site est digne de figurer au *Gotha* des merveilles, au même titre que le Grand Canyon du Colorado ou les chutes du Niagara au temps de Chateaubriand? Rien, ici, n'a changé depuis qu'Ali, passant du rôle de saint Georges à celui d'Hercule, construisit ces barrages, trop beaux pour être tout à fait naturels. Et, comme il convient en ces sortes de lieux où le génie inventif du Créateur semble s'être surpassé, les mythologies se bousculent. Sans sourciller, les guides locaux vous montreront un piton isolé : c'est la femme de Loth, changée en statue de sel pour s'être retournée vers Sodome incendiée...

▲

Balkh : coiffée d'un dôme vert côtelé, flanquée de colonnes torsadées, la petite mosquée Abou Nasr Parsa date de l'époque timouride (XVᵉ siècle), où les descendants de Tamerlan encouragèrent les arts tout en gouvernant avec une poigne de fer.
Phot. Pichard-Atlas-Photo

l'Afghanistan

Vers la Bactriane

À 80 km de Bamian, Doab est le point de départ de la vallée d'Adjar, la vallée du Roi : Zahir chah y possédait un modeste rendez-vous de chasse, qu'il mettait, en son absence, à la disposition des visiteurs. Les amateurs de Jules Verne qui connaissent les dessins fantastiques de l'édition Hetzel peuvent assez bien imaginer ce qu'est la vallée d'Adjar : un canyon dont les murailles lisses se perdent dans les nues comme les remparts d'une forteresse délirante. Tout cela, bouleversé par les tremblements de terre, fissuré par le gel, secoué par les avalanches, se prend d'assaut grâce à des échelles de bois. Patiemment, des ânes apportent des quartiers de roc pour refaire un semblant de piste. Le dernier tremblement de terre a inversé le cours de la rivière, de sorte qu'on ne sait plus très bien où celle-ci se déverse maintenant. Le guide local vous entraîne vers des gouffres d'ombre, des cavernes déchiquetées, des cascades tonitruantes où plongent les truites, jusqu'à une sorte de cul-de-sac où il faut enfin s'arrêter, se taire, contempler l'Hindū Kūch comme si l'on était un astronaute débarquant sur une planète vierge où la nature règne sans partage.

En remontant vers le nord, on retrouve près de Pol-i-Khomri, au col de Sorkh Kotal, l'empereur Kanishka, qui fit édifier ici un temple à la gloire du Bouddha, du Soleil et de la Lune. On a découvert dans les ruines des inscriptions rédigées en caractères grecs, mais dans une langue indéchiffrable, le bactrien...

Toujours plus au nord, en direction de l'Amou-Daria et de la frontière soviétique, arrêt au bazar de Kunduz, où se réunissent les marchands d'astrakan, les maquignons descendant de ceux qui remontèrent la cavalerie d'Alexandre et les petits vendeurs à la sauvette qui arrondissent au chiffre inférieur la somme qu'on leur doit en murmurant avec un grand sourire : « C'est ton *bakchich*. » Plein ouest ensuite vers Khulm, que les Afghans appellent Tashkurgan et dont le bazar couvert fera mentir ceux qui se croient blasés sur le sujet. Les jeux d'ombre et de lumière sur l'incroyable harmonie des costumes ont de quoi épuiser photographes et cinéastes et désespérer le conteur.

Mazar-i-Charif s'enorgueillit de sa mosquée Bleue, qui abrite la dépouille d'Ali, assassiné en Iraq en 661, mais dont le corps aurait, selon la tradition, été porté jusqu'ici par une chamelle blanche, au terme d'un voyage de quelque 2 500 km. Chaque année, le 21 mars, se déroule le *nowruz*, le plus grand pèlerinage de l'Afghanistan. Des milliers de fidèles sanglotent, s'arrachent la barbe et se griffent le visage pour témoigner de la douleur extrême où les plonge, plus de treize siècles après sa mort, la disparition de leur calife.

Fin du périple à Balkh, édifiée à l'endroit où Alexandre laissa tomber son manteau. Autour des jardins et des dômes aux couleurs tendres de la mosquée Abou Nasr Parsa et de la mosquée des Neuf Dames, au pied de la citadelle Bala Hissar, dont les murs sont si ruinés

◄
Face au soleil couchant, les croyants adressent à Allah la dernière prière de la journée.
Phot. Michaud-Rapho

▲
Grand centre de pèlerinage, la mosquée Bleue de Mazar-i-Charif abrite, dit-on, la dépouille d'Ali, neveu et gendre du Prophète, assassiné en Iraq : ses fidèles placèrent son corps sur une chamelle blanche, qui aurait couvert 2 500 km pour l'apporter jusqu'ici.
Phot. Michaud-Rapho

qu'on les prendrait pour des coulées de lave, les nomades ont planté leurs tentes. Ce sont des *tchopendoz*, les éleveurs de chevaux du *bozkachi*, jeu équestre dont la règle consiste à déposer, par tous les moyens, le cadavre d'un veau ou d'un bouc décapité derrière les lignes du camp adverse. À l'automne, les *tchopendoz* descendent vers les villes pour donner ce spectacle féroce, ponctué de coups de cravache administrés aux rivaux et de grandes ruées de chevaux dans la foule. En été, on les retrouve ici, parmi les maigres pâturages, attendant calmement la saison des assauts. Mais il suffit de prononcer le mot magique pour que, en un clin d'œil, ils se retrouvent en selle pour vous offrir une petite démonstration. Au bout de trois minutes, ils oublient que c'est pour rire, renversent tentes et braseros, affolent leurs chiens semblables à des loups. Le campement vibre comme une cymbale. L'air, le ciel et la terre sont jaunes.

On redescend vers Kaboul par le tunnel du Salang, le plus haut tunnel routier du monde qui, à 3 363 m d'altitude, franchit la chaîne de

Jeu traditionnel des cavaliers ouzbeks, le bozkachi *est devenu un spectacle : en automne, chaque vendredi, devant des foules en délire, des équipes de tchopendoz se disputent avec une extrême brutalité la dépouille d'un veau ou d'un bouc.*
Phot. Michaud-Rapho

l'Hindū Kūch, la montagne « qui tue les hindous ». Halte au sud du col, à Istalif, où Baber venait prendre le frais sous les platanes. Aujourd'hui, on y vient surtout pour les céramiques bleues que les marchands vous proposent tout au long de la rue principale.

Au-delà de Kaboul, la grande route mène vers la passe de Khayber en suivant la rivière dans une succession de gorges magnifiques. Par Jalalabad, dont le bazar, trop occidentalisé, n'offre guère d'intérêt, on atteint Hadda, qui possède les *stupas* les mieux conservés du pays et une foule de figurines du IIe siècle, représentant des empereurs, des guerriers et des bonzes, avec une liberté et une fantaisie inoubliables. On songe à la fois à Rodin et à certains visages du portail Royal de Chartres.

L'Afghanistan interdit

Restent d'autres régions dans lesquelles, pour des raisons politiques ou stratégiques, il est presque impossible de pénétrer si l'on ne dispose pas de beaucoup d'argent, de beaucoup de temps, de solides relations et d'une patience à toute épreuve. Le Pamir, d'abord, encastré entre l'U. R. S. S. et la Chine, où l'on filtre très

L'hiver, les éleveurs kirgiz du Pamir chargent de rouleaux de feutre et de peaux de mouton leurs robustes chameaux de Bactriane et descendent dans les vallées échanger ces marchandises contre du blé.
Phot. Michaud-Rapho

séverement les visiteurs : en pratique, n'y ont accès que les riches amateurs de safari, capables de débourser une fortune pour y chasser le mouflon de Marco Polo, animal rarissime, décrit pour la première fois par le célèbre explorateur.

Le Nuristan, ensuite, dont l'entrée est subordonnée à une autorisation difficile à obtenir. Il est habité par l'une des ethnies les plus originales et les plus attachantes du pays. Les maisons de bois aux balcons de dentelles, les

cimetières aux statues gravées, les cultures en terrasse et la ville de Kamdech, accrochée à son piton et que l'on traverse en grimpant d'interminables escaliers, composent une sorte de Shangri-La parfaitement hors du temps.

Quant à la grande piste du centre, celle qui, par Chakhcharan, mène au minaret de Djam, dernier vestige de la capitale ghoride, elle fait partie de ces expéditions qui figurent en bonne place au tableau d'honneur des aventuriers

intrépides. Pour suivre cette route, il faut soit des nerfs d'acier et un véhicule indestructible, soit l'endurance qui permet de supporter l'inconfort et les hallucinants cahots d'un camion afghan lâché en liberté parmi les ravins, les fondrières et les cols culminant à 4 000 m. Mais quand on aperçoit le minaret solitaire, dressé vers le ciel comme un immense point d'exclamation, on comprend que l'on a fait le voyage de sa vie ■   Jean-Erik LINNEMANN

▲

Isolés dans de hautes vallées boisées, les habitants du Nuristan accrochent au flanc des montagnes leurs maisons construites essentiellement en bois, avec un peu de torchis pour boucher les interstices.
Phot. Molenaar-Image Bank

▶

Le parvis de la mosquée Bleue de Mazar-i-Charif, au merveilleux décor de faïence émaillée, est toujours peuplé de centaines de pigeons blancs, attirés par les graines disposées à leur intention.
Phot. C. Lénars

le Pakistan

Bordé au nord par des chaînes himalayennes et au sud par la mer d'Oman, le Pakistan a des frontières moins naturelles à l'ouest, avec l'Afghanistan, et à l'est, avec l'Inde. C'est un pays créé artificiellement, en 1947, par la « partition » de l'Inde, division opérée au prix d'importants transferts de populations. Le ciment de cette construction a été et demeure la religion : le Pakistan est un pays musulman.

Karachi,
première capitale du nouvel État

Karachi, ville principale et porte du Pakistan, est à l'image de ce phénomène. Ce n'était qu'un village avant que les Britanniques n'en fassent,

après la conquête du Sind, vers 1850, le port de débarquement de troupes de plus en plus nombreuses, engagées sur les chaudes frontières du nord-ouest. Au lendemain de la dernière guerre mondiale, l'agglomération comptait à peine 300 000 habitants. À partir de 1947, des centaines de milliers de réfugiés s'y sont installés tant bien que mal. Il fallut construire des logements, des usines.

Une ville est née de cette volonté de survivre, informe, tentaculaire, mais vivante et contrastée. Ici, le flot de la circulation ; là, des plages où l'on peut voir, à certaines époques, des tortues sortir de la mer pour venir pondre leurs œufs. Aujourd'hui, Karachi a 3 millions d'habitants.

Au XVIIᵉ siècle, un homme d'affaires britannique, le capitaine Hamilton, ne parlait pas de Karachi, mais s'enthousiasmait pour le port de

Tatta. Or Tatta est aujourd'hui à bonne distance de l'Indus, qui a changé de cours, et encore plus loin de la mer. La cité, qui abritait 100 000 habitants à cette époque, est maintenant une ville morte, séparée de Karachi par un désert de 100 km. Du sommet de la colline de Makli, on domine un ensemble architectural dont l'élément principal est une nécropole où les tombes sont de véritables palais.

Sur les 15 km² de la colline de Makli, on a dénombré un million de sépultures, de la plus riche à la plus modeste. Les mausolées de Diwan Shurfa khan et d'Isa khan allient, avec un sens aigu des matériaux et une grande élégance, la pierre à la brique nue et à la brique émaillée. La mosquée a été édifiée par Chah Jahan, le bâtisseur du Taj Mahal d'Agra (Inde), en témoignage de reconnaissance pour le Sind, qui lui avait donné asile lors de sa rébellion.

▲
Lahore : derrière le gracieux pavillon dans lequel les maharajas donnaient audience au XIXᵉ s., on aperçoit les tours cannelées de la porte Royale du fort d'Akbar, véritable citadelle d'où les Grands Moghols gouvernaient leur empire.
Phot. F. Kohler

Histoire
Quelques repères

3000-1800 av. J.-C. : civilisation de l'Indus.
Vers 1500 : arrivée des Aryens.
327 : Alexandre le Grand conquiert Taxila.
Fin du IIᵉ s. apr. J.-C. : règne de Kanishka et splendeur du Gandhara.
VIᵉ-VIIᵉ s. : les Huns ravagent l'Empire gandhara et occupent le Punjab.
712 : les Arabes envahissent le Sind.
1192 : Mohammed Ghori défait les hindous et occupe Delhi.
XVIIIᵉ s. : apogée de l'époque moghole.
1857 : révolte des cipayes contre les Britanniques.
1875 : fondation du collège anglo-oriental d'Aligarh, d'où sortiront les fondateurs du Pakistan.
1906 : création de la Ligue musulmane panindienne.
1922 : découvertes archéologiques de Mohenjo-Daro.
1940 : déclaration d'intention de la Ligue en faveur d'un territoire pour les musulmans.
1947 : «partition» de l'Inde britannique et naissance du Pakistan; échanges de populations, troubles sanglants.
1960 : Karachi cède son titre de capitale à Islamabad.
1965 : conflit avec l'Inde à propos du Cachemire.
1968 : le président Ayoub khan démissionne au profit de Yahya khan; proclamation de la loi martiale.
1971 : perte des provinces orientales, qui deviennent le Bangla Desh.

▲
Souvenir d'une des plus vieilles civilisations du monde, celle de l'Indus, ce buste en stéatite, découvert dans les ruines de la vaste métropole de Mohenjo-Daro, doit avoir plus de quatre mille ans.
Phot. C. Lénars

Près de ce monument, on voit des immeubles anciens de sept ou huit étages, dont l'armature souple, faite de bambous, préfigure la technique de construction des tours à murs-rideaux et provoque l'admiration des ingénieurs.

À Mohenjo-Daro, l'engineering du IIIᵉ millénaire

Que cette région du Sind ait beaucoup apporté à la technique universelle, personne ne le conteste plus. Il n'en était pas de même il y a quelques décades, car on ne possédait aucun document archéologique antérieur à l'arrivée des Grecs d'Alexandre le Grand, qui s'étaient reposés à Tatta après leur épuisante campagne dans le Nord.

En 1922, on découvrit au cœur du Sind, à la stupéfaction du monde savant, une civilisation contemporaine de celle de la Mésopotamie, que l'on baptisa rapidement — trop rapidement — «indo-sumérienne». À Mohenjo-Daro, un chantier d'une dizaine d'hectares révéla l'existence d'une ville fondée vers 2500 av. J.-C. et située entre deux fleuves — l'Indus et une rivière aujourd'hui asséchée —, tout comme les cités sumériennes sont bâties entre le Tigre et l'Euphrate. Cette ville semblait donc contemporaine de la première dynastie de Babylone, et cette hypothèse se confirma lorsqu'on mit au jour en Iraq, dans la couche correspondant à 2400 ans av. J.-C., des objets provenant manifestement de l'Indus.

Les influences réciproques sont évidentes. Cependant, on ne parle plus aujourd'hui de «civilisation indo-sumérienne», mais de «civilisation de l'Indus», dans un souci d'équité pour une culture autonome, suffisamment vigoureuse pour avoir couvert un territoire plus vaste que celui de la civilisation mésopotamienne.

En visitant le site de Mohenjo-Daro, on est d'abord surpris par le plan rigoureux des rues et des ruelles (de 10 m à 1,20 m de largeur), qui se coupent à angle droit, disposition laissant supposer une volonté d'urbanisme. Ces rues sont orientées selon les points cardinaux. Elles sont dotées, en leur milieu, d'une canalisation enterrée, avec système de décantation par puisards et regards.

Très étonnante est également la présence d'une piscine, aux marches recouvertes de bois, et de bains annexes comportant une salle supérieure, disposition qui a incité à voir, dans cet édifice, une sorte de monastère. Non moins curieuse est l'absence de grand temple.

L'écriture de Mohenjo-Daro (et de Harappa, plus au nord, site également très important, mais moins spectaculaire, car utilisé un temps comme carrière pour la construction du ballast de la voie de chemin de fer) n'ayant pu être déchiffrée, c'est par les sceaux qu'il a fallu reconstituer la culture des habitants de la ville. Ces sceaux — ou cylindres-amulettes —, de la taille d'un ongle, sont en stéatite, gravés en creux, polis à l'abrasif et légèrement cuits

▶
Aux environs de Karachi, la plaine de Chaukandi est jonchée de sépultures sculptées, curieuses pyramides de pierre dont certaines sont entourées d'un péristyle.
Phot. G. Papigny

au four après passage d'une pellicule d'alcali. Ces minuscules documents montrent que leurs auteurs vénéraient les animaux et adoraient une divinité à trois visages, en qui l'on s'empressa de voir le prototype de Çiva sous la forme de Paçupati.

Les suppositions concernant la vie quotidienne des habitants de la vallée de l'Indus sont moins aventurées. Cette vie devait être assez paisible, car on y dépensait moins pour les forteresses que pour les travaux d'aménagement urbain. Le contraste est saisissant entre les dimensions des maisons de Mohenjo-Daro et celles de Taxila, construites deux mille ans plus tard. L'argent n'était donc pas, comme à Sumer, dépensé pour la gloire d'un souverain, mais au profit de la collectivité. Le nombre de jouets recueillis, la qualité de la petite sculpture de Harappa et de Mohenjo-Daro (aux musées de Karachi et de Delhi) — notamment la fameuse danseuse en bronze qui annonce les chefs-d'œuvre de l'époque Chola — indiquent un très haut degré de civilisation.

Aussi fut-on encore plus surpris, en 1956, par la découverte, à Kot Diji, d'édifices en brique sèche et de fortifications datant du début du IIIᵉ millénaire et vraisemblablement détruites par les gens de Harappa vers 2500. Ce n'était pas fini : à Lothal, à des niveaux protohistoriques, on exhuma une ville tracée à angles droits et disposant d'une piscine et d'égoûts. Décidément, la civilisation de l'Indus faisait bonne figure à côté de celle de Sumer.

Comparées à ces cités «modernes», les actuelles Multan et Sukkur paraissent très moyenâgeuses, avec leurs ruelles tortueuses. Multan est la ville la plus intéressante du Punjab («Pays des cinq rivières»), grenier du Pakistan, qui faillit retourner au désert lorsque la «partition» menaça de le priver des eaux venant de l'est. En 1960, un accord avec l'Inde attribua au Pakistan le contrôle des eaux de la Sutlej, de la Jhelum et de la Beas. Mais l'apport n'était pas suffisant : il fallut, à la hâte, creuser des canaux pour aller chercher de l'eau à l'ouest. Lutte incessante, car le désert indien

Lahore, paradis moghol

de Thar tend à passer la frontière. Les inondations sont toujours à redouter (catastrophe de 1973), et la salinité des sols s'accentue. Autrefois, le Punjab s'étendait jusqu'à Delhi. Aujourd'hui, le Punjab pakistanais n'a d'yeux que pour la très séduisante Lahore.

▲
La forme effilée et l'inclinaison des tourelles qui épaulent ses murs de brique rose font du mausolée de Ruknud-Din la construction la plus remarquable du fort de Multan, haut lieu de la résistance des sikhs à la conquête britannique.
Phot. F. Kohler

Rudyard Kipling, qui avait été promu à dix-sept ans rédacteur en chef adjoint de la *Civil and Military Gazette* de Lahore, a su évoquer sa ville avec une émotion et un humour incomparables. C'est avec Kim qu'il faut passer les portes de la vieille ville, parcourir ses ruelles, visiter ses échoppes et ses bazars.

La splendeur de l'Empire moghol au XVIᵉ siècle s'exprime dans les monuments : mosquée

Pages suivantes :
Cour de la mosquée Badshahi de Lahore, une des plus vastes de l'Islam : à gauche, la façade de grès rouge et les trois coupoles en marbre blanc de la salle de prière ; à droite, la porte monumentale, couronnée d'une floraison de clochetons.
Photos F. Kohler

de Wazir khan, presque oubliée malgré son revêtement de faïence persane décorée, le seul du sous-continent ; mosquée Badshahi, monumentale construction de grès rouge, incrusté d'arabesques de marbre ; mausolée de Jahangir, aux voûtes sombres et à l'éclatant tombeau de marbre blanc, orné d'inscriptions en arabe ; jardins de Shalimar, conçus sur trois plans par l'architecte Ali Mardan, avec leurs 400 fontaines, leurs 3 lacs et leurs canaux, que la fête des Lampions illumine le dernier dimanche de mars ; ensemble de Hiran Minar, construit par Jahangir à la mémoire de son antilope préférée, dans un décor de bois et de prairies. Cadre prestigieux pour une foule grouillante et affairée dans les bazars ; fervente dans les mosquées (Badshahi peut accueillir 60 000 personnes au moment de la prière) ; calme et contemplative à Shalimar ou au Fort, parmi les jardins, les pavillons scintillants de miroirs, les cours de marbre, les appartements ornés de pierres semi-précieuses.

Capitale religieuse et intellectuelle du Pakistan, Lahore sait également s'occuper d'affaires et de politique. Elle a la sensibilité à fleur de peau d'une ville-frontière, l'appétit d'une agglomération moderne pour les idées nouvelles, le charme d'une cité ancienne où l'on a su cultiver le luxe et les arts avec mesure, intelligence et goût. « Arrache ton cœur aux jardins de la terre », recommande une citation d'un poète persan à la mosquée de Wazir khan. À Lahore, ce conseil est difficile à suivre.

Cantonnement « new-look » à Islamabad

Moins de 200 km séparent Lahore d'Islamabad, la capitale en titre, et de Rawalpindi, qui fut promue capitale intérimaire en attendant l'achèvement de la ville neuve. Rawalpindi — « Pindi » pour les habitués — n'était qu'une ville de garnison, avec la classique et interminable avenue du Mall et l'inévitable ligne de chemin de fer séparant le Cantonnement — l'ancien quartier britannique — de la vieille ville. Si le Cantonnement a repris du lustre, les bazars n'ont rien perdu de leur aspect vétuste et affairé : c'est une sorte d'antidote à la modernité d'Islamabad.

Comme la plupart des villes créées de toutes pièces, la capitale du Pakistan a besoin de se roder. L'entreprise était hardie. Karachi paraissant trop dans la mouvance des milieux d'affaires et Lahore trop proche de la frontière et trop intellectuelle, les responsables du Pakistan décidèrent d'édifier, à 20 km de Pindi, une ville neuve, qui ferait la synthèse de la politique, de l'administration, de la religion, des affaires et des arts. Ils demandèrent à un architecte grec, Doxiadis, de tracer le plan directeur. À Islamabad comme à Mohenjo-Daro, rues et avenues se coupent à angle droit. Avec le gigantisme en plus. La cité, une fois terminée, couvrira une superficie de 250 km². Les secteurs — des

ensembles de 2 km de côté — ont été conçus de manière à former des villages où toutes les classes de la société seraient représentées.

Mais ce vœu risque de demeurer pieux : Islamabad n'est, jusqu'à présent, qu'un centre administratif, une ville de fonctionnaires. Le profil de la carrière de ces derniers pourrait être tracé grâce aux implantations successives de leur foyer à travers les quartiers résidentiels, l'objectif étant de s'extraire du quartier des sous-chefs de bureau pour accéder aux superbes villas des directeurs de ministères, ou, mieux, à celles des ministres.

Le souci de la dignité est un lourd handicap. Pourtant, Islamabad n'est pas sans intérêt. Certains éléments du plan directeur ont été bien traités, notamment le Secrétariat, les mosquées et l'Institut de science et de technologie nucléaires. Quant au décor, c'est celui des premiers contreforts de la montagne : il est superbe.

D'Islamabad, on accède facilement à la région de Murree, centre de vacances où les fonctionnaires britanniques venaient naguère prendre le frais au moment de la mousson. On passe des parcs bien peignés à une nature sauvage, du golf à 9 trous aux gorges bourdonnantes de la fureur des torrents. Les « Galis » — villages de la montagne dont le nom se termine en « gali » — ont été transformés en stations de sports d'été et d'hiver. Dungagali se trouve au pied du Mukshpuri, point culminant des « collines », dont l'altitude atteint déjà 3 100 m. Au loin se profilent les cimes imposantes des massifs montagneux du Cachemire.

Kaghan et Swat : initiation à la haute montagne

Les choses se corsent avec la vallée de Kaghan, située à quelque 2 500 m d'altitude, ce qui la rend inaccessible en hiver. C'est en septembre que l'on profite au mieux de ses nombreux attraits : forêt « céleste » de Kawaï

(ses arbres paraissent toucher le ciel), cascades qui se précipitent dans la rivière Kunhar, relais (confortable) de Balakot, promenades à poney vers les lacs, randonnées sur des sentiers ombragés par d'énormes noyers ou dans des prairies couvertes de myosotis.

Du village de Naran, on atteint le lac de Saïf ul-Mulk, serti dans un cirque de montagnes à 3 200 m d'altitude. C'est là que le prince Saïf ul-Mulk tomba amoureux de la fée Badurjamal.

◄

Le passage des armées d'Alexandre le Grand et le voisinage de l'hellénistique Bactriane ont fait naître dans la haute vallée de l'Indus un art gréco-bouddhique, dit «du Gandhara», dont ce saisissant Bouddha jeûnant est un bel exemple. (Musée de Lahore.)
Phot. Michaud-Rapho

Le visiteur bien informé ne s'en étonnera pas : les histoires d'amours malheureuses sont fréquentes au Pakistan, et les paysans ne manquent jamais de fleurir le tombeau des Roméo et Juliette locaux.

En progressant dans la vallée, le paysage se fait plus âpre, plus grandiose : le plateau de Lalazar et son lac offrent des aspects sans cesse changeant jusqu'au col de Babusar, d'où l'on découvre la chaîne de Gilgit.

La vallée de Kaghan est une approche saisissante de la montagne himalayenne. Ceux qui préfèrent un abord plus souriant choisiront la vallée du Swat, pays du miel et du bouddhisme. Au col de Malakand commence un royaume qui comptait jadis 1400 monastères. Les fouilles d'Undegram et surtout de Mingora, où était situé le monastère le plus important du Gandhara, ont permis de dégager *stupas* et édifices conventuels. De Mingora, toute proche de

Saidu, la capitale, part la nouvelle route de l'Indus, ouverte toute l'année, qui relie la vallée à Gilgit en serpentant entre des parois de roches vertigineuses ou en s'accrochant à des corniches tout aussi impressionnantes.

La route de Gabral, qui remonte vers le nord, voit les pinèdes succéder aux cultures fruitières, puis les hauts sommets apparaître progressivement, tels les 5000 mètres du Mankial. Kalam, à 2300 m d'altitude, est un havre de

▲

Au pied de l'Himalaya, dans la fertile vallée du Swat, les ruines d'un stupa *datant de la grande époque du Gandhara rappellent que les contrées qui composent aujourd'hui le Pakistan étaient, jusqu'à la conquête arabe, des terres saintes du bouddhisme.*
Phot. G. Papigny

paix dans les prairies et les vergers. Des vallées parallèles débouchent sur d'autres paysages aussi fascinants : glaciers, cascades, forêts sombres et les 6450 mètres du Falakser.

Les hauts lieux de l'art du Gandhara

Le Swat est la région la plus belle et la plus reculée de l'ancienne province indienne du Gandhara. Alexandre le Grand franchit la passe de Khayber et conquit la région de Peshawar en 327-326 av. J.-C., mais les Grecs ne restèrent qu'une vingtaine d'années et cédèrent le territoire au roi indien Chandragupta. Un des successeurs de celui-ci, le grand Açoka, se convertit avec son peuple au bouddhisme. Puis les Grecs de la province voisine de Bactriane occupèrent le pays, avant de s'effacer, en 90 av. J.-C., devant des tribus venues de l'Oural. Vinrent ensuite les Kushans, originaires de la Chine du Nord-Ouest, qui conquirent Taxila vers 99 apr. J.-C. Tout comme Açoka, leur empereur, Kanishka, se convertit au bouddhisme. Les Kushans furent vaincus à leur tour par les Perses Sassanides, mais ceux-ci les laissèrent en place. Ainsi, l'Empire kushan et avec lui l'art du Gandhara ne s'éteignirent qu'à l'arrivée des Huns. Les voyageurs chinois qui visitèrent la région de Peshawar au VIe siècle n'y trouvèrent que des ruines, alors que le moine Fa-Hien, au Ve siècle, s'émerveillait des réalisations de Kanishka, le bâtisseur.

Taxila, le monastère de Takht-i-Bai, les collections des musées de Lahore et de Peshawar donnent une idée complète de la civilisation du Gandhara. Art composite, dont des études récentes permettent de mieux cerner les influences. Il semble que Kim se trompait lorsque, visitant avec Kipling le musée de Lahore, il déclarait avoir admiré des « sculptures gréco-bouddhiques » où apparaît « mystérieusement le toucher génial de la Grèce ». On s'accorde aujourd'hui à penser que les bouddhas qui ressemblent à des Apollon, les chapiteaux des trois ordres, les amours et les pampres ne sont pas venus tout droit de l'Hellade, mais de Rome, par les artistes et les artisans des provinces orientales de l'Empire romain.

Travaillant au service d'une expression religieuse, ces artistes ont été littéralement « pris » par leur sujet. La ferveur, souvent naïve, est un des attraits de cet art. La datation des monuments et des sculptures du Gandhara est difficile. Les modèles ont été mis au point dès le départ et répétés, sans grandes variations, jusqu'à la fin, c'est-à-dire jusqu'au Ve siècle. On doit notamment aux artistes du Gandhara la création du type du *bodhisattva* (disciple) et la première représentation classique du Bouddha (sur une pièce de monnaie de Kanishka, certainement à des fins de propagande). Ils ont également contribué à l'évolution du *stupa* (monument plein, enfermant une relique), en décorant sa base et en augmentant considérablement sa hauteur. Les voyageurs chinois parlent d'une tour de 13 étages, surmontée de superstructures en bois et de 55 parasols de cuivre doré, portés par un mât de fer. (Le musée de Taxila possède un modèle d'époque, en réduction, de ce monument.)

Les 65 km² du site de Taxila, dans la vallée du Haro, au pied des monts Hazara, ont vu se succéder sept empires. On y découvre trois villes : celle que connut Alexandre, celle des Grecs bactriens et celle des Kushans. À Mohra Moradu et à Jaulian, les vestiges de deux monastères présentent d'autres aspects de la technique des maîtres d'œuvre du Gandhara : cours communiquantes, sur lesquelles ouvre une suite de cellules, de chapelles, de salles de conférences, de réfectoires. Mais les sculptures en pierre bleue, en schiste vert ou en stuc, jadis peintes ou dorées à la feuille, sont presque toutes conservées dans les musées : celui de Taxila possède surtout des têtes en stuc ; celui de Lahore, des statues monumentales et le superbe et très célèbre *Bouddha ascète*, d'une maigreur squelettique ; celui de Peshawar, le reliquaire de bronze de Kanishka, la maquette et les statues du monastères de Takht-i-Bai, et une véritable « bande dessinée » de schiste, présentant, sur des dizaines de panneaux, tous les faits et gestes du Bouddha.

Les ruines de Takht-i-Bai doivent probablement leur bon état de conservation à leur accès difficile. L'essentiel des constructions date des Ier et IIe siècles. La cour du *stupa* principal est entourée de mausolées, et les bâtiments monastiques, dont les briques rouges contrastent avec le vert de la campagne environnante, s'étagent sur le flanc de la colline. Même impression de calme et de beauté à Shahbar Garhi, autre monastère ruiné des environs de Peshawar, et dans les divers vestiges épargnés par le temps et les tribus avoisinantes. Peshawar est en effet la région des contrastes : douceur et religiosité des sites bouddhiques, rudesse et vitalité des tribus pathans.

◄

Dans la ville-frontière de Peshawar, les Pathans, à la haute stature, ne se séparent guère de leurs armes, que les artisans locaux, malgré leur outillage rudimentaire, fabriquent avec une déconcertante habileté.
Phot. Fiore

La Frontière du Nord-Ouest sent la poudre

Les tribus pathans ont tenu tête aux cadets de l'aristocratie britannique et aux valeureuses troupes des Highlands écossais. Des plaques commémoratives rappellent ces engagements sur les rochers de la passe de Khayber, que

franchirent Darius, Alexandre, Gengis khan, les Huns, les Parthes, les Mongols et les Afghans.

Les Pathans sont aussi belliqueux, coléreux, rusés, orgueilleux, accueillants, brutaux et généreux que le prétend leur légende. Ces guerriers à la haute stature, au profil aquilin et aux yeux bleus, sont originaires de l'Iran oriental et vivent à cheval sur la frontière afghano-pakistanaise, en ignorant superbement la « ligne Durand » qui, depuis 1893, sépare les deux pays.

Les Pathans des tribus montagnardes ont beaucoup plus conscience d'appartenir à un clan que d'être les citoyens d'un pays qui leur a proposé l'unité. Ils ont pourtant accepté l'intégration dans la communauté nationale, d'autant que certaines affaires relèvent de leur assemblée *(jurga)*, organisme très démocratique, puisque les décisions y sont prises à la majorité. Les tribus laissent le gouvernement construire écoles et barrages, mais celui-ci

n'intervient qu'en cas de différend grave entre elles, pour jouer le rôle d'un Monsieur Bons-Offices, ou si la sécurité de l'État est en jeu. Il ne se mêle pas des affaires de *badal*, crime de vendetta qui peut être commis plus d'un siècle après le délit si celui-ci n'a pas été racheté par le prix du sang.

Faut-il préciser que les Pathans ne circulent qu'armés jusqu'aux dents ? Leurs villages sont fortifiés, et les maisons sont à la fois casemate,

▲

Au cours des siècles, la passe de Khayber, où le moindre hameau est ceinturé de remparts comme une forteresse, a vu défiler tous les conquérants qui ont envahi les Indes.
Phot. G. Papigny

▶

Résultant de la « partition » qui, après la Seconde Guerre mondiale, divisa l'empire britannique des Indes entre hindous et musulmans, le Pakistan pratique l'islam avec ferveur : les prières à la mosquée tiennent une grande place dans la vie quotidienne.
Phot. Burri-Magnum

arsenal et souvent manufacture d'armes. C'est dans le village de Darrah (à 40 km de Peshawar), fief des Afridis, maîtres des passes de Kohat et de Khayber, que sont fabriquées la plupart des armes dont disposent les tribus. Une fabrication qui a toujours étonné les connaisseurs, car la copie conforme des armes les plus perfectionnées — armes de poing, fusils et armes lourdes — est réalisée dans des ateliers primitifs, avec un outillage dérisoire.

À Landi Kotal se tient une autre sorte de marché. Le village est situé sur la route de la passe de Khayber, où des pancartes avertissent le voyageur qu'il entre en territoire tribal. La route stratégique zigzague entre les casemates et recoupe parfois la route caravanière, toujours en service, ainsi que la voie de chemin de fer. Jusqu'à Torkham, poste frontière, la vallée est parsemée de maisons et de villages fortifiés, dominés par des tours, à la porte desquels veillent des hommes armés. Landi Kotal ne serait qu'un village parmi les autres si son bazar souterrain ne regorgeait de toutes sortes de marchandises, introuvables ailleurs, telles que : alcools, appareils photographiques, transistors, soies chinoises et gadgets en tout genre. Une

sorte de caverne d'Ali Baba, sur l'approvisionnement de laquelle personne ne tient à se poser trop de questions.

On éprouve la même impression de vivre à une autre époque au Baloutchistan, dont le développement est accueilli avec circonspection par ses habitants. Très peu peuplé — un million d'habitants, soit 2 ou 3 au km² —, il est parcouru par des tribus plus nomades que celles du Nord, mais possédant des structures sociales équivalentes, une foi musulmane profonde et un sentiment aussi exacerbé de leur liberté. L'État se montre, là encore, compréhensif. Il va même jusqu'à fournir des écoles mobiles, qui suivent les caravanes.

En hiver, le froid est si vif et les vents sont si violents que Quetta, petite capitale provinciale connue pour son école militaire et ses secousses telluriques, se vide littéralement. L'été est torride, mais nul ne peut être insensible au profil tourmenté des montagnes qui descendent en sauts capricieux vers la vallée de l'Indus, à l'âpreté des déserts, au miracle des oasis, au courage et à l'hospitalité des nomades. Pauvres, analphabètes, ceux-ci sont les dépositaires d'une tradition orale, celle de poètes qui,

des rivages de la mer d'Oman aux confins du Swat, ont célébré l'orgueil et la vaillance des guerriers, la beauté des femmes (que l'on ne saurait épouser qu'après les avoir enlevées) et l'amour de la liberté.

Peshawar, capitale de la province de la Frontière du Nord-Ouest, est un condensé policé de

▲

Au nord-ouest de Karachi, le long de la frontière iranienne, le Baloutchistan est une région aride, hérissée de montagnes abruptes.
Phot. F. Kohler

ce monde assez rude, et elle se souvient d'avoir été une étape sur la route de la Soie. La vieille ville abrite le marché le plus vivant du pays. Peshawar est une ville-frontière. La forteresse de Bala Hisar, aux défenses imposantes, le rappelle. Les gens qui déambulent au bazar de Qissa Khwani aussi : dans la célèbre « rue des Conteurs » s'échelonnent les maisons de thé où les clients qui bavardent devant un samovar portent cartouchière à la taille et fusil à l'épaule. Rues tortueuses, maisons de brique à charpente de bois, résistant aux séismes, balcons de bois ouvragés, mosquées, marché aux sandales *(chappals)*, bazar des chaudronniers... rien ne laisse indifférent. L'atmosphère est tendue. On s'active avec fébrilité : « Rappelez-vous que vous êtes en pays pathan, disent les dépliants touristiques. Ici vit la plus grande société tribale du monde. » Et d'ajouter : « Sans doute la plus connue et une des plus mal comprises. »

Gilgit et la vallée heureuse

Gilgit est aujourd'hui reliée à Rawalpindi par la nouvelle route de la vallée de l'Indus, qui a désenclavé la région. Jusqu'à ces dernières années, le visiteur était tributaire de l'avion, avec les risques que cela comporte : celui de ne pas partir et celui de ne plus pouvoir quitter les lieux. Les relations entre les hautes vallées (Gilgit, Skardu et Chitral) sont, en effet, souvent perturbées par les conditions atmosphériques. Les appareils volent plus bas que les sommets et passent les chaînes à quelques centaines de mètres au-dessus des cols. Il suffit d'un nuage pour que le passage soit bouché et que le vol soit annulé. Et cela pendant huit, dix ou quinze jours.

Le trajet aérien Islamabad-Gilgit fait survoler une partie de la vallée de Kaghan, passe devant le Nanga Parbat (8 126 m) et permet d'apercevoir le non-moins impressionnant Rakaposhi (7 789 m) avant de plonger entre les énormes murailles rougeoyantes de la vallée de Gilgit. Le parcours vers Skardu offre également une vue sur le massif du Nanga Parbat et les monts Deosai, puis, avant l'arrivée, le spectacle du

K 2 (ou mont Godwin Austen) culminant au milieu de la chaîne du Karakoram, du moins quand le deuxième pic du monde (8 611 m) n'a pas le front dans les nuages.

C'est dans ces parages que se sont élaborées les techniques de l'alpinisme d'avant-garde, celui qui se pratique sans l'intendance des camps de base, sans corde fixe ni bouteille d'oxygène. C'est cette technique locale qui permit de vaincre, au Népal, l'Annapurna en 1950 et l'Everest en 1953. En 1963, Hermann Buhl atteignit seul les 8 126 m du Nanga Parbat, sans bouteille d'oxygène, et, l'année suivante, au cours d'une tentative sur le K 2, Walter Bonatti, bloqué entre deux campements, bivouaqua à 8 000 m sans équipement et survécut.

Le bilan de santé des Hunzas

Au-delà de Gilgit, les 150 villages du Cachemire pakistanais qui s'échelonnent au long des 150 km de la vallée de la Hunza formaient naguère un petit royaume indépendant — le Hunza —, dont le prince — le Mir — résidait à Karimabad. Les terrasses taillées dans la montagne sont cultivées avec le plus grand soin par les Hunzas des deux sexes, car les femmes de la vallée contribuent plus activement que celles de Gilgit aux travaux des champs. Elles portent une sorte de chapeau rond, brodé et orné d'un voile qui n'est plus censé, aujourd'hui, dissimuler leur visage.

Le Hunza doit moins sa réputation à la splendeur de ses paysages de haute montagne, où les glaciers viennent mourir dans des prés parsemés de fleurs, qu'à la surprenante santé de ses habitants. La renommée mondiale de ces derniers date de la publication, dans les années

20, des observations d'un médecin britannique, le Dr Robert McCarisson — devenu, en 1927, directeur des Recherches sur l'alimentation en Inde —, qui les avait étudiés durant sept ans. Il n'avait rencontré ni ulcère gastrique, ni cancer, ni colite à bacilles, ni tuberculose. D'autre part, la longévité des montagnards était étonnante.

Pour expliquer ce phénomène, on étudia l'alimentation des Hunzas. Elle est des plus simples : *chapatis* (galettes à la farine entière), haricots secs, lentilles, pois chiches, lait cru, yaourt, huiles végétales, fruits frais ou séchés (notamment des abricots), vin de raisin fermenté pendant quatre-vingt-dix jours de façon naturelle, sans adjonction de sucre. La viande n'est pas interdite, mais elle n'est consommée qu'une fois par semaine.

Cette rusticité pourrait faire douter des qualités de la cuisine du Hunza. Ce serait une erreur. Il faut goûter les *chapatis* aux épinards, le pâté d'aubergine, les caris de légumes, la mousse d'abricot au yaourt et même le simple yaourt, qui contient du blé germé, de la levure de bière et des graines de tournesol, et qui est servi avec des fruits frais, des mûres par exemple.

Le Dr Carisson a cherché à démontrer la perfection du régime alimentaire des Hunzas par une série d'expériences, à la vérité des plus éloquentes. Sur une population de 1 200 rats, 40 sujets furent mis au régime hunza : ils acquirent vigueur et entrain, notamment en matière de reproduction. Quarante autres eurent droit au régime hindou, avec riz, farineux, légumes cuits et condiments à gogo : la tristesse parut s'abattre sur eux, leur poil devint terne, et tous furent frappés de maladies (furoncles, caries dentaires, cancers, déviations de la colonne vertébrale, etc.). De plus, les sujets devinrent

◄ *En dehors de quelques vallées bien irriguées, le Baloutchistan est très sec, et ses grandes étendues désertiques ne peuvent nourrir que de rares nomades.*
Phot. Pictor-Aarons

▲ *Vivant principalement d'élevage, les nomades du Baloutchistan entassent leurs biens sur un chameau et déplacent leurs troupeaux de point d'eau en point d'eau.*
Phot. Abbas-Gamma

très nerveux et présentèrent, aux dires des observateurs, des comportements antisociaux : ils allèrent jusqu'à s'entre-dévorer. C'est d'un voile pudique que l'on couvrira le résultat des expériences auxquelles fut soumis le troisième groupe, nourri selon les préceptes de la gastronomie britannique...

Autre point capital, sur le plan de la gérontologie : les allègres centenaires conservent des fonctions sociales actives. Hautement considérés par la jeunesse, ils ne sont aucunement rejetés du corps social. Ce peuple, qui possède douze expressions différentes pour désigner un champ (selon la nature du terrain, la surface, etc.), paraît ignorer la notion de retraite et, bien entendu, celle de stress. Un dicton veut que le Hunza ne quitte cette existence qu'en « dévissant » et en tombant dans le torrent.

Si l'on interroge les intéressés, ils sont unanimes à déclarer que leur santé et leur longévité sont dues à la qualité de l'eau qu'ils boivent. Celle-ci provient des vertigineux glaciers qui dominent la vallée et celle de Nagar, encore plus sauvage — une vallée où l'on peut chasser, autour de 4 500 m d'altitude, le bouquetin de Falconer et surtout l'argali de Marco Polo, superbe mouflon dont les immenses cornes avaient étonné le célèbre voyageur vénitien et que les amateurs de grande chasse considèrent comme l'un des gibiers les plus prestigieux.

En pays ismaélien

La région de Gilgit est peuplée en grande majorité d'ismaéliens, membres d'une secte chiite dont les 15 millions d'adeptes, disséminés dans le monde, mais avec de très fortes concen-

◄
Les Hunzas sont un peuple de montagnards dont la longévité légendaire intrigue d'autant plus les savants qu'elle s'accompagne d'une remarquable absence de sénilité.
Phot. Launois-Rapho

▲
Royaume indépendant jusqu'à un passé récent, le Hunza est situé dans le cadre grandiose du Cachemire pakistanais, au point où la tempête minérale du Karakoram vient se briser sur les récifs de l'Hindu Kuch.
Phot. Burri-Magnum

trations au Pakistan et au Kenya, reconnaissent pour chef religieux *(imam)* l'Agha khan. Celui-ci est également investi de pouvoirs temporels : garant de la sécurité et de la prospérité de ses fidèles, groupés en communautés *(jamats)* très actives, il gouverne par *firman* (ordre écrit) et peut tout aussi bien imposer des règles d'hygiène que le principe de la comptabilité en partie double. Karim Agha khan, l'actuel responsable de la communauté, poursuit au Pakistan d'importantes activités philanthropiques, comme la construction de l'hôpital de Karachi, auquel sont rattachés les centres de soins que l'on trouve jusqu'au fond des vallées himalayennes, à Gilgit ou à Chitral, très loin des riches communautés d'affaires ismaéliennes du grand port.

Les ismaéliens assument la tâche redoutable de donner vie aux paysages démesurés de ces vallées perdues. Et ils y parviennent. Des terrasses couvertes de verdure s'accrochent au flanc des montagnes. Des prés et des vergers se succèdent le long du fleuve. Les hommes portent un béret de feutre *(pattu)* blanc ou beige, une tunique *(kamiz)* et un pantalon bouffant *(chalouar)*, auquel ils ajoutent, en hiver, un long manteau *(chunga)*. Les femmes portent également *kamiz* et *chalouar*.

Au-delà de Gilgit, petite ville poussiéreuse qui vit autour de son marché, les villages s'échelonnent le long de la vallée : Punial, véritable oasis où l'eau court parmi les pommiers et les abricotiers, Gupis et Yasin. Après le col de Shandur, la route redescend dans la vallée de Mastuj, puis dans celle de Chitral. Du moins en principe, car, même pendant la belle saison, il faut le plus souvent enfourcher un mulet pendant quelques heures pour franchir le col. Pour peu que les glissements de terrain s'en mêlent, cela peut être beaucoup plus long.

Chitral et le pays kalash

Chitral et Skardu sont d'autres vallées heureuses. À l'est de Gilgit, Skardu, capitale du Baltistan, une des provinces du Cachemire pakistanais, est littéralement enchâssée dans les montagnes. À l'ouest, Chitral est plus ouverte, comme pour rendre hommage au Tirich Mir (7 690 m), une des plus belles cimes de l'Himalaya. La ville n'a guère changé depuis le début du siècle : une mosquée, un palais abandonné dominant la rivière, des arbres immenses, une longue rue-bazar en pente accentuée, aboutissant au parking des Jeeps qui, d'après les

dépliants touristiques, sont censées transporter quatre ou cinq passagers. La réalité est plus pittoresque, et on part vers les vallées kalashs en compagnie d'une bonne douzaine de voyageurs, de bagages divers, de quelques sacs de farine et de diverses volailles, sans compter l'aide-chauffeur, dont la fonction est de bloquer avec une pierre la roue arrière du véhicule, lorsqu'il faut manœuvrer au ras du précipice pour négocier un virage en épingle à cheveux. Brir, Bombret et Rambur, où vivent environ 1 200 Kalashs, s'atteignent au prix de quelques émotions de cette qualité. Les trois vallées, proches de la frontière afghane, font pendant au Nuristan, où se sont réfugiées des populations de même souche. La blancheur de peau des Kalashs a donné lieu à bien des hypothèses. Certains voient en eux les descendants de déserteurs grecs, chassés jusque dans les hautes vallées par les envahisseurs aryens. D'autres prétendent qu'ils seraient originaires de l'Arabie, d'où ils auraient été expulsés à cause de leur paganisme ; ils seraient donc arrivés bien avant les musulmans.

Dans cet univers de pierre, le fond des vallées qui nourrissent les Kalashs est fertile. Les maisons se blottissent dans les courbes du torrent ou s'agrippent aux parois de rocher. Comme elles ne possèdent ni fenêtre ni cheminée, il est difficile, pour un étranger, d'y demeurer quand on y fait du feu.

Les femmes portent une étrange coiffe, la *koupars*, sorte de conque tapissée de cauris (coquillages en forme de grains de café), de motifs de métal, de petites clochettes, et surmontée d'un énorme pompon. On s'est interrogé sur l'origine de ces cauris, sans fournir d'explication plausible. Les petites filles ont droit à la *chouchoutte*, une coiffe plus réduite, et les hommes arborent un béret de feutre.

Il fallut attendre 1893 pour qu'un major de l'armée des Indes parle des Kalashs, et c'est seulement en 1960 qu'ils firent l'objet d'une

▲
Agriculteurs modèles, les Hunzas font pousser du riz et des arbres fruitiers sur les terrasses accrochées à mi-pente des gorges sauvages de leur petit pays.
Phot. Michaud-Rapho

▲
Jusqu'à la fin de leur très longue vie, les Hunzas contribuent, par un labeur incessant, à faire de leur vallée une oasis fertile au milieu des farouches montagnes qui l'isolent du restant du monde.
Phot. Launois-Rapho

▶
Non loin de la ligne de cessez-le-feu qui coupe en deux le Cachemire, pomme de discorde entre le Pakistan et l'Inde, le Baltistan offre ses montagnes aux chasseurs de mouflons et ses lacs aux pêcheurs de truites.
Phot. Andia-Atlas-Photo

étude véritablement scientifique. Les Kalashs utilisent un calendrier lunaire et divisent l'année en quatre périodes de durée inégale, au rythme de quatre grandes fêtes. On se réunit alors dans des lieux sacrés, on sacrifie des animaux aux dieux, on visite le *betan* (sorte de prêtre-sorcier).

Les maisons communes *(djastakhans)* sont construites, comme les habitations, en ardoises empilées sans ciment et soutenues par des colonnes et des poutres en bois sculpté. Le *bashalani*, situé au bord du torrent, est un bâtiment communal où les femmes s'isolent pour accoucher. La mère et l'enfant y restent quinze jours, et la femme, avant de retourner au foyer, doit se baigner dans l'eau du torrent, même en plein hiver.

Les Kalashs n'enterrent pas leurs morts, mais les déposent dans d'énormes cercueils laissés à l'air libre, le plus souvent sans couvercle. Autrefois, ils plantaient à côté du cercueil un *gandhaho*, haute effigie de bois, représentant un personnage en tunique courte, avec poignard au côté et chapeau pointu, doté d'arcades sourcilières très marquées, d'un nez proéminent et d'yeux incrustés. Selon la fortune du mort, certains de ces personnages étaient assis dans un fauteuil ou chevauchaient un ou plusieurs coursiers. Des modèles réduits étaient réalisés pour les enfants décédés. Ces *gandhahos* sont maintenant extrêmement rares. La plupart se trouvent dans les musées de Peshawar et de Kaboul (pour ceux provenant du Nuristan). Ce sont de fascinants chefs-d'œuvre primitifs.

À dire vrai, les Kalashs ont su faire de toute leur vie une manière de chef-d'œuvre. Se défendre avec si peu de moyens contre un climat redoutable, dans un isolement total, n'a jamais altéré leur bonne humeur ■ Claude RIVIÈRE

◄
Coiffée de la chouchoutte brodée de coquillages, vêtue d'une longue robe tissée sans couture, une jeune Kalash part sans doute travailler aux champs, sa faucille à la main.
Phot. Gaonach-AFIP

▲
Refoulé dans des montagnes hostiles par les guerres entre Afghans et Anglais, le petit peuple païen des Kalashs a trouvé dans le fond humide des vallées les quelques arpents de terre cultivable qui lui ont permis de survivre.
Phot. Gaonach-AFIP

▶
Pendant l'éprouvante période de la mousson, les hautes collines verdoyantes de la région de Murree accueillent les citadins d'Islamabad en quête de fraîcheur.
Phot. Pictor-Aarons

l'Inde

Triangle à peu près équilatéral, dont deux côtés sont bordés par l'océan Indien et le troisième par la haute chaîne de l'Himalaya, l'Inde forme une entité géographique nettement séparée du reste de l'Asie, d'où son nom de « sous-continent ». Cet espace strictement délimité semble un cadre idéal pour le développement d'une civilisation originale, d'un État unitaire. Or l'histoire de l'Inde a toujours démenti cette image idyllique : elle est faite d'invasions, de morcellements, de luttes idéologiques.

En étudiant cette histoire depuis ses origines, on est frappé par un certain nombre de constantes. C'est d'abord une opposition fondamentale entre le Nord, qui comprend les plaines indo-gangétiques et les contreforts de l'Himalaya, et le Sud aux hauts plateaux arides, bordés de plaines côtières. C'est ensuite une

tendance à la fragmentation en de nombreux pouvoirs régionaux et l'impossibilité, jusqu'à une époque récente, de former un État unique, malgré la communauté de culture et, pendant longtemps, de croyance. C'est enfin un manque d'agressivité qui a fait de l'Inde une proie pour des peuples expansionnistes, proches ou lointains. L'Indien a toujours défendu courageusement son sol et sa liberté, mais, tout au long de son histoire, il a répugné à s'attaquer à ses voisins, et le rayonnement de sa civilisation dans l'Asie du Sud-Est est dû uniquement à son influence intellectuelle, spirituelle et économique. Cette civilisation était déjà brillante lorsque l'Europe se débattait encore contre l'obscurantisme, et elle a atteint son apogée à l'époque de nos cathédrales. La domination des Mongols (ou Moghols), puis des Occidentaux, n'est pas parvenue à l'abattre.

▲
Le temple d'Or d'Amritsar, dont les murailles de marbre blanc enferment le Granth Sahib, livre sacré de la secte guerrière des sikhs, mire son armure de cuivre doré dans les eaux d'un vaste bassin servant aux ablutions rituelles.
Phot. S. Held

◄
La corvée d'eau quotidienne, qui fait porter en équilibre sur la tête de lourds récipients de cuivre, est, pour les jeunes filles, une excellente école de maintien.
Phot. Shelley-Rapho

Histoire
Quelques repères

Vers 2500 av. J.-C. : civilisation de la vallée de l'Indus.
Vers 1200 : invasions aryennes.
Vers 600 : royaume de Magadha, dont la capitale est Pataliputra (Patna).
Vers 563-483 : Siddhartha Gautama, le Bouddha.
Vers 559-477 : Mahavira, fondateur du jaïnisme.
Vers 518-515 : Darius Ier, roi de Perse, conquiert la vallée de l'Indus.
326 : Alexandre le Grand envahit la vallée de l'Indus.
Vers 313-185 : dynastie des Maurya.
264-227 : règne d'Açoka.
Vers 80 : fondation du royaume scythe au Gujarat.
300-550 apr. J.-C. : dynastie des Gupta.
760-1142 : dynastie des Pala au Bengale.
830-1203 : dynastie des Chandella (temples de Khajuraho).
1211-1227 : Iltutmish, premier sultan de Delhi (construction du Qutb Minar).
1221 : arrivée des Mongols, conduits par Gengis khan.
1398-1399 : Timur Lang (Tamerlan) envahit l'Inde et prend Delhi.
1498 : Vasco de Gama arrive en Inde.
1526 : bataille de Panipat ; Baber occupe Delhi ; fondation de l'Empire moghol.
1530-1556 : règne de Humayun.
1556-1605 : règne d'Akbar (construction du Fort Rouge à Agra et fondation de Fatehpur Sikri).
1605-1627 : règne de Jahangir, qui encourage les arts, notamment la miniature.
1627-1658 : règne de Chah Jahan, grand bâtisseur (Taj Mahal et Moti Masjid à Agra ; Jama Masjid et Fort Rouge à Delhi).
1658-1707 : Aurangzeb, dernier des grands empereurs moghols.
1690 : fondation de Calcutta par la Compagnie anglaise des Indes orientales.
1782-1789 : Tippoo Sahib, raja de Mysore.
1857-1858 : révolte des cipayes.
1876 : la reine Victoria devient impératrice des Indes.
15 août 1947 : proclamation de l'indépendance de l'Inde.
1948 : assassinat de Gandhi.
1950 : l'Union indienne devient une république fédérale.
1971 : guerre indo-pakistanaise ; proclamation de l'indépendance du Bangla Desh.
1975 : rattachement du Sikkim à l'Union indienne.

▲
Delhi : une dalle de pierre marque l'endroit où le corps du mahatma Gandhi, principal artisan de l'indépendance indienne, fut incinéré en présence de lord Mountbatten, dernier vice-roi des Indes.
Phot. S. Held

l'Inde du Nord

Géographiquement plus favorisées, plus riches, plus dynamiques, ce sont les grandes plaines indo-gangétiques du Nord qui, le plus souvent, ont fait l'histoire de l'Inde.

Toute de grès rouge, l'ancienne Delhi

Delhi, New Delhi : un rythme à deux temps, des vies parallèles dans des cadres juxtaposés, totalement différents, parfaitement harmonieux. Deux villes pour une capitale de 5 millions d'habitants, une magnifique leçon d'histoire jalonnée de monuments, de palais, de tombeaux et de jardins.

Premier repère, magistralement dressé, le Qutb Minar marque, au début du XIIIe siècle, après des périodes confuses, la victoire des musulmans sur les hindous (adeptes de l'hindouisme, ou brahmanisme, la religion traditionnelle de l'Inde). Moment décisif, où l'Inde bascule dans une ère nouvelle. À l'emplacement du plus grand temple hindou est édifiée la mosquée Quwwat-ul-Islam Masjid, dont les pierres proviennent du pillage des temples hindous et jaïns des alentours. Au sud-ouest de la cour, le Qutb Minar, le minaret le plus élevé du monde (près de 73 m), devient le symbole de l'implantation musulmane, qui va s'affirmer au cours des siècles suivants. Si l'inspiration de ce monument se réfère à des modèles afghans, les artisans hindous, merveilleux d'habileté dans le travail de la pierre, ont mêlé aux inscriptions du Coran des arabesques de tradition indienne, créant ainsi un nouvel art, né de l'islam, mais propre au génie de l'Inde.

Au cœur de la vieille ville se dressent les monuments de grès rouge, témoins de la grandeur de l'Empire moghol. Le Fort Rouge, d'abord, imposant avec ses hautes murailles dissimulant palais, pavillons de marbre, bassins et jardins où se déroulait une vie fastueuse. Puis, toute proche, Jama Masjid, la plus grande mosquée de l'Inde, construite au XVIIe siècle par l'empereur Chah Jahan. C'est une harmonie de couleurs et de formes. Le grès rouge rend plus éclatants les bulbes à côtes des coupoles de marbre blanc souligné de noir. Minarets et clochetons dominent la vaste cour entourée d'arcades, que rythment les trois grandes portes correspondant aux escaliers d'accès monumentaux.

Tout autour, la foule se presse dans les petites rues ; chars à bœufs, attelages, bicyclettes, taxiscooters et voitures s'enchevêtrent. Les boutiques se succèdent, les artisans travaillent l'or et l'argent, sculptent l'ivoire, polissent les pierres précieuses ou brodent de fils d'or les étoffes de soie aux coloris acides. Des bouffées de parfums — santal et jasmin — se mêlent aux

odeurs d'épices. Les bruits, les couleurs, le mouvement de la foule donnent une densité inégalable à cette ville envoûtante. Ces ruelles débouchent sur Chandni Chowk, l'artère principale de l'ancienne Delhi. L'affluence y est la même, et une incessante marée humaine déferle entre les boutiques éclairées de néons et les immenses affiches de cinéma qui masquent les fenêtres et les balcons des vieilles maisons.

Des espaces nouveaux pour la grande parade de l'histoire

Dès que l'on s'éloigne de ce cœur à la vie ardente, on découvre un aspect tout différent de la ville, celui des quartiers résidentiels avec leurs belles maisons enfouies sous les fleurs et les arbres tropicaux, celui des vastes espaces aux larges avenues ponctuées de bâtiments symétriques, à l'architecture magistrale et austère. Un autre monde, conçu par des architectes britanniques qui avaient gardé une secrète nostalgie de Whitehall et de Buckingham Palace. Une majestueuse avenue, Raj Path, mène de la porte de l'Inde — arc de triomphe élevé à la mémoire des soldats indiens tombés pendant la Première Guerre mondiale — à Rashtrapati Bhavan, palais surmonté d'un dôme, créé pour les vice-rois britanniques, aujourd'hui résidence du président de la République.

C'est sur Raj Path, véritable voie triomphale, que se déroule chaque année, le 26 janvier, la grande parade commémorant la fondation de la république. On ne peut imaginer défilé plus

▲
Cannelé, ciselé, cerclé de balcons, le Qutb Minar de Delhi est le plus grand minaret du monde : culminant à 73 m, il fut élevé à l'aube du XIIIe siècle pour commémorer la victoire de l'islam sur l'hindouisme.
Phot. Michaud-Rapho

▶
La blancheur des dômes de la salle des prières de Jama Masjid, l'énorme mosquée de Delhi, contraste avec la teinte sombre du grès dans lequel est bâti l'ensemble du monument.
Phot. Nou-Explorer

extraordinaire : tout le faste de l'Inde se déploie devant une foule enthousiaste, massée sur le parcours dès le petit matin pour assister à ce spectacle digne d'un metteur en scène de génie. L'histoire de l'Inde y est présentée en une fresque vivante. Les costumes sont ceux portés aux différentes époques, depuis les temps les plus reculés jusqu'au milieu du XIXe siècle. Les figures légendaires s'animent : soldats guptas rappelant l'âge d'or des IVe, Ve et VIe siècles de notre ère ; guerriers mongols ayant remporté la célèbre victoire de Panipat, en 1526 ; Rajpoutes en turban et longue robe ; grenadiers-tigres du sultan Tippoo Sahib, qui monta sur le trône de Mysore en 1782 et tint tête aux Britanniques ; soldats sikhs du maharaja Ranjit Singh, portant turban bleu et gilet écarlate. Tous sont réunis, et l'apothéose est atteinte lorsque, de leur pas lent, défilent les éléphants caparaçonnés. Étonnantes pages d'histoire tournées devant une foule non moins surprenante, où les *saris* des femmes et les turbans des hommes sont en parfaite harmonie avec les uniformes créés au cours des siècles.

Si l'Inde est fastueuse, elle sait aussi être sobre avec une simplicité qui va droit au cœur. Il faut aller à Raj Ghat, un vaste jardin où une large dalle de marbre noir marque l'endroit où fut incinéré le corps du mahatma Gandhi. Une seule inscription sur la pierre nue : *Hé Ram* (Ô Dieu), les derniers mots prononcés par Gandhi lorsqu'il s'écroula, assassiné par un brahmane fanatique, le 30 janvier 1948.

Le Taj Mahal d'Agra,
poème d'amour

Agra est la ville du Taj Mahal, le mausolée que le Grand Moghol Chah Jahan dédia à la mémoire de son épouse bien-aimée. Ce

▲
Palais des Grands Moghols, le Fort Rouge de Delhi enferme, dans sa vaste enceinte de remparts, de délicats pavillons de marbre où l'empereur donnait audience.
Phot. Michaud-Rapho

▶
Veuf inconsolable, l'empereur Chah Jahan fit élever à son épouse bien-aimée le plus prestigieux des mausolées, le Taj Mahal d'Agra, dont la pureté de lignes, la splendeur diaphane des marbres enchâssés de pierreries et le décor raffiné font le monument le plus célèbre de l'Inde musulmane.
Phot. Koch-Rapho

l'Inde

plus grands artistes de l'époque furent appelés de Chine, de Perse, d'Égypte, d'Italie (ciseleurs florentins, en particulier). Des caravanes partirent à la quête des pierres précieuses, poussèrent jusqu'en Chine pour rapporter le jade, jusqu'en Égypte pour trouver la calcédoine. Les rubis vinrent de Birmanie, les perles d'ambre de Damas, qui en fut dépouillée. La prodigieuse habileté des artisans indiens transforma le marbre en dentelle, les dalles en tapis de mosaïques.

Ce monument nous est parvenu sans retouche, sans restauration indiscrète, tel que le voulut son créateur. Jardins, bassins, jets d'eau, parterres de fleurs et bosquets composent un cadre paradisiaque, d'où émerge le mausolée, d'une blancheur translucide, étincelante, flanqué de quatre minarets. Un dôme bulbeux en marbre blanc, décoré à la base d'arabesques et de guirlandes de fleurs stylisées, incrustées de pierres semi-précieuses, recouvre la chambre funéraire, où un écran de marbre finement ajouré laisse entrevoir le cénotaphe de Mumtaz Mahal.

Chah Jahan désirait pour lui-même un mausolée de marbre noir, édifié sur la rive opposée de la rivière. Ce vœu ne put s'accomplir. Le tombeau de l'empereur fut placé à côté de celui de son épouse, dans la crypte du Taj Mahal. En langue persane, les épitaphes se répondent encore comme un chant d'amour : « Dieu est éternel, Dieu est parfait ». Chah Jahan a rejoint Mumtaz Mahal, il est « entré au monde éternel la vingt-huitième nuit du mois de Rahab, en l'an 1044 de l'hégire ».

Un palais-forteresse

Sur la rive droite de la Yamuna, au marbre blanc du Taj Mahal répond le grès incarnat du Fort Rouge d'Agra. Commencé par Akbar en 1565, cet immense palais, entouré d'un double

monument est un merveilleux poème d'amour, exprimé au moment précis où l'art était mûr pour faire éclore un chef-d'œuvre. De cette concordance est né le symbole le plus parfait de l'architecture indo-musulmane.

Chah Jahan, fils de l'empereur Jahangir et petit-fils du grand Akbar, régnait au début du XVIIe siècle sur un empire à son apogée. Son épouse Arjmand Banu, d'origine persane, avait reçu le titre de Mumtaz Mahal (« perle du harem ») au moment de son mariage, en 1612, alors qu'elle avait vingt ans.

Cette princesse, douée de toutes les qualités, adorée de son mari, mourut en mettant au monde son quatorzième enfant. L'empereur, inconsolable, décida d'élever un monument fabuleux pour perpétuer à travers les siècles le souvenir de leur extraordinaire amour. Le Taj Mahal fut commencé en 1630 ; 20 000 ouvriers y travaillèrent pendant vingt-deux ans, et les

▲
Agra, qui fut la capitale de l'empire des Grands Moghols avant Delhi, possède également un Fort Rouge, protégé par une double enceinte de murs crénelés aux portes puissamment fortifiées.
Phot E. Guillou

▲
Costume national des femmes indiennes, le sari, fait d'une simple pièce de soie ou de cotonnade drapée, sans couture ni épingles, est le plus souvent de couleur vive et parfois rehaussé de fils d'or.
Phot. C. Lénars

mur d'enceinte renforcé de bastions, comprend un nombre impressionnant de pavillons, de halls d'audience, de kiosques et de tours, ajoutés par les empereurs successifs.

Jahangir, qui aimait les arts et sous le règne duquel la miniature atteignit son apogée, fit recouvrir les stucs des chambres de son palais de décors raffinés de fleurs et d'oiseaux. Chah Jahan construisit le Khas Mahal, où il venait se reposer, écouter des musiciens, entouré de livres et de peintures. Faisant disparaître les structures primitives de grès rouge créées par Akbar, il fit édifier trois pavillons blancs, le plus grand pour lui, les plus petits, magnifiquement décorés de dessins géométriques et de motifs floraux rehaussés d'or et surmontés de dômes en cuivre doré, pour ses deux filles préférées, Jahanara et Roshanara. Quant au Shish Mahal, le « palais de Verre », destiné aux bains des reines et des princesses, il abritait des bassins de marbre alimentés en eau chaude et en eau froide ; couvrant murs et plafonds, une multitude de petits miroirs convexes, enchâssés dans le stuc, réfléchissaient la lumière à l'infini.

De cet immense ensemble de palais somptueux, le Mussamman Burj est peut-être le bâtiment le plus émouvant. C'est là que vécut Mumtaz Mahal. C'est là que, après sa mort, l'inconsolable Chah Jahan venait contempler, à travers les ouvertures finement sculptées, dans une lumière laiteuse, diaphane, le dôme de marbre blanc du Taj Mahal, sous lequel reposait le corps de son épouse adorée.

La ville déserte de Fatehpur Sikri

Aux environs d'Agra, sur la route de Jaipur, Fatehpur Sikri, éphémère capitale créée par Akbar en 1571 et abandonnée quinze ans plus tard, est figée dans sa troublante solitude.

▲

Née à la fin du XVIᵉ siècle d'un caprice de l'empereur Akbar, la capitale de Fatehpur Sikri, près d'Agra, n'eut qu'une existence éphémère : insalubre, elle fut abandonnée au bout de quinze ans, et ses bâtiments de pierre ocre, que l'on croirait taillés dans le bois de santal, sont intacts.
Phot. S. Held

Dans la bourgade de Sikri vivait jadis un sage, Shaikh Salim Chishti, dont la renommée s'étendait à toute la région. L'empereur Akbar, préoccupé de ne pas avoir d'héritier, vint le consulter. Le saint homme lui prédit la naissance de trois fils. L'année suivante, le 30 août 1569, naquit un prince — le futur Jahangir —, qui fut nommé Salim en l'honneur de l'ascète.

L'empereur, en témoignage de gratitude, décida de faire de Sikri la capitale de son empire au lieu et place d'Agra, d'y construire un palais et de venir y résider avec sa cour. Il nomma cette cité Fatehpur, la « ville de la Victoire », pour célébrer la conquête de la riche province du Gujarat. Malheureusement, la région manquait d'eau. Malgré l'aménagement d'un vaste lac artificiel, l'endroit était insalubre. Aussi rapidement qu'elle avait été créée, la cité royale fut abandonnée en 1586 et vouée au silence.

Majesté écrasante de cette ville intacte, entourée de murailles, qui se dresse sur un plateau rocheux et comprend une multitude de palais, de kiosques et de jardins, ainsi qu'une mosquée, Jama Masjid. Au centre de celle-ci, une cour immense est entourée de hauts murs, au sommet desquels une rangée de clochetons, supportés par de fins piliers, découpe sur le ciel sa dentelle de pierre rose. Un monument spécialement vénéré, entouré de panneaux de marbre finement ajourés, renferme le tombeau de Shaikh Salim Chishti, le sage musulman que tous les croyants viennent implorer, quelle que soit leur religion.

Étonnante architecture de pierre rose, taillée, sculptée, maîtrisée tel un bois précieux, que cet ensemble unique, voulu par un empereur qui sut réunir autour de lui savants, poètes et philosophes. Le Diwan-i-Khas servait aux audiences privées ; au centre de ce pavillon, un seul pilier de pierre, surmonté d'un extravagant chapiteau formé de consoles superposées, supportant une balustrade en pierre ajourée, donne la mesure de cet art se jouant des difficultés. Tout est trouvaille, prouesse, raffinement. Fatehpur Sikri témoigne de la grandeur du règne d'Akbar, une des périodes les plus brillantes de l'histoire de l'Inde, où se formait un nouveau style architectural, synthèse de l'art perse et du génie indien.

Au bord du Gange, la ville sainte des hindous

Bénarès, que les Indiens appellent Varanasi (contraction de Varuna et d'Asi, les deux rivières qui se jettent dans le Gange), est la ville sainte, un but de pèlerinage depuis les temps les plus reculés, symbole vivant de toutes les croyances de la religion hindoue.

Les temples sont légion, mais l'entrée de la plupart d'entre eux est réservée aux hindous : temple d'Or ou de Vishvanath, le plus sacré, dédié à Çiva ; temple d'Annapurna, consacré à Kali, déesse de la Mort, mais aussi dispensatrice de la nourriture ; temple de Ganeça, le dieu à tête d'éléphant... Toute la ville est, en quelque sorte, un vaste sanctuaire, dédale inextricable de ruelles étroites, où l'on ne peut circuler qu'à pied, pressé par la foule qui s'écarte à peine pour laisser passer les vaches sacrées. Les boutiques, toutes petites, vendent des offrandes ou des fleurs destinées aux dieux, de la poudre rouge ou orange, servant aux marques rituelles, des bâtonnets d'encens.

Les rues mènent aux rives du Gange, le fleuve sacré. Là, une multitude silencieuse de croyants s'assemble sur les *ghats*, larges escaliers conduisant au fleuve. Le vœu de chaque hindou est de venir, une fois dans sa vie, se purifier dans les eaux du Gange, afin qu'une réincarnation meilleure lui soit accordée dans le cycle inexorable des renaissances, fondé sur la loi du *Karma* (destin). Les femmes se plongent toutes vêtues dans le fleuve. Les hommes, dans une des postures du *yoga*, se livrent à la méditation, hors du temps. De grands parasols de palmes *(chhatra)* protègent du soleil les

gourous, saints hommes récitant et expliquant les formules sacrées, que des disciples attentifs écoutent, assis en demi-cercle, à même les dalles de pierre.

Un peu plus loin, ce sont les *ghats* où sont disposés les bûchers funéraires. Après la crémation, les cendres sont dispersées au gré du vent dans les eaux du Gange.

C'est à l'aube qu'il faut descendre sur les *ghats*, au moment où les degrés se peuplent d'êtres fantomatiques, émergeant des couvertures dans lesquelles ils ont passé la nuit, allongés à même le sol. Ils forment la longue file des déshérités, des vieillards, des infirmes attendant la plus petite obole, boulette de riz ou insignifiante piécette, essayant de retenir l'attention en tendant des mains décharnées ou en vous fixant d'un regard aussi profond qu'interrogateur. Qui a jamais pu passer devant cette haie humaine sans être bouleversé ? Quel voyageur pourrait oublier le regard de ceux qui implorent, et continuer, l'âme en paix, sa quête de pittoresque ?

L'Inde, c'est aussi Bénarès.

Sarnath où naquit le bouddhisme

Les anciens rois de Bénarès possédaient, près du hameau de Sarnath, un parc appelé Rishipatana, peuplé de daims apprivoisés et ouvert à tous les saints hommes qui désiraient s'y reposer. Le Bouddha s'y arrêta au terme d'un long voyage, commencé à Bodhgaya, où il avait atteint la suprême connaissance à l'ombre d'un figuier. C'est là qu'il retrouva ses cinq premiers disciples, qui l'avaient abandonné parce qu'ils n'avaient pas compris le sens de ses méditations. L'apercevant dans le jardin de Sarnath, ils furent frappés par la sérénité de son visage et comprirent qu'il était désormais l'« Illuminé ». Fascinés, ils se joignirent de nouveau à lui et, par une nuit de pleine lune, il leur enseigna les « quatre nobles vérités » et leur dévoila les « huit chemins » qui mènent à la béatitude. Ce premier sermon — le « sermon de Sarnath » — est le point de départ de la doctrine bouddhique. Très vite, l'enseignement du maître attira d'autres pèlerins, mais le Bouddha les quitta bientôt pour continuer sa vie errante, ses méditations et ses prêches.

Bien que le bouddhisme ait maintenant déserté cette partie de l'Inde, Sarnath garde le témoignage de ce moment important de l'histoire de l'humanité. On peut encore visiter le jardin Rishipatana : c'est un endroit d'une calme beauté, tout empreint de sérénité, où l'on aimerait s'attarder. Un immense *stupa* (monument plein, renfermant des reliques, typique de la

▶

Au-delà des ghats, un labyrinthe de ruelles escarpées, envahies par une foule bigarrée et bruyante, s'enfonce dans l'entassement des maisons de la vieille ville de Bénarès, aujourd'hui Varanasi, cité sainte du brahmanisme.
Phot. E. Valli

Double page suivante :
Chaque matin, au lever du soleil, le peuple le plus religieux du monde se retrouve dans le Gange, au pied des palais de Bénarès, pour procéder en toute sérénité aux ablutions rituelles dans le plus sacré des tirtha *(étendue d'eau dont l'hindouisme fait le séjour préféré des innombrables dieux de son panthéon).*
Phot. Nou-Explorer

▲
Pour les hindous, le Gange est le fleuve sacré par excellence, don du dieu Çiva qui le fit descendre du ciel pour le bien des hommes, et ses eaux troubles ont le pouvoir de laver de toute souillure celui qui s'y plonge.
Phot. Brake-Rapho

▲
Une foule de pèlerins venus de toute l'Inde encombre en permanence les ghats de Bénarès, larges escaliers dont les degrés bordent le Gange sur 15 km.
Phot. Nou-Explorer

religion bouddhique), élevé pour glorifier le site, est aujourd'hui en ruine, et le chapiteau de la colonne que l'empereur Açoka y avait érigée se trouve au musée de Sarnath : sculpté au IIIe siècle av. J.-C. dans un bloc de grès poli avec une finesse extraordinaire, ce chapiteau surmonté de quatre lions est devenu l'emblème de l'Union indienne.

Les monastères qui avaient été fondés dans ce lieu saint n'ont pas résisté aux assauts des Huns et des conquérants musulmans du Moyen Âge. Seuls un grand temple bouddhique moderne et le Dhamekh Stupa, décoré de frises à ornements géométriques, commémorent encore la naissance d'une grande religion.

Spiritualité
et sensualité à Khajuraho

Située au cœur de l'Inde du Nord, dans une région de collines et de lacs, Khajuraho est une bourgade traditionnelle, dont les habitants ont perdu le souvenir des temps lointains où leur village était une capitale, celle des rois Chandella, qui, de 950 à 1050 apr. J.-C., édifièrent à cet endroit plus de 80 sanctuaires jaïns et hindous.

Les moments florissants passés, la puissance des Chandella disparue, ces sanctuaires tombèrent dans l'oubli et ne furent redécouverts qu'à la fin du XIXe siècle : 22 d'entre eux étaient encore debout, répartis en trois groupes autour du village.

▲
Imprégnées d'un érotisme qui surprend les Occidentaux, les sculptures des temples de Khajuraho, contemporaines de notre art roman, sont pleines de grâce et de sensualité.
Phot. C. Lénars

Construits dans un grès ocre auquel les rayons du soleil couchant confèrent une douce patine rosée, chacun de ces temples se dresse sur une haute plate-forme et comprend un portique, une salle centrale et un sanctuaire abritant l'effigie du dieu. Ils sont couronnés d'une sorte de pyramide allongée, le *shikhara*, qui évoque l'élan vers le ciel et symbolise la montagne sacrée qui est censée occuper le centre de l'univers.

Temples fabuleux, où chaque parcelle de pierre est couverte de sculptures constituant une synthèse de l'art médiéval indien. Profusion de formes humaines ou divines, formant des frises d'une infinie diversité.

Beauté des lignes, rythme du décor, sens du détail, expression des visages traduisant la tendresse, le chagrin, la joie et l'extase. Préciosité des images féminines, parmi les plus parfaites qui soient, avec leurs traits délicats, leurs yeux de biche, leurs sourcils arqués et leurs longs cheveux retenus en chignon. Sensualité des innombrables couples enlacés dans une mutuelle adoration.

Lorsqu'on parle des sculptures érotiques des temples de Khajuraho, il faut tenir compte du fait qu'elles font partie d'un ensemble décoratif inspiré par une même pensée, une même tradition. À côté de ces images suggestives, on trouve la représentation de grands dieux et de divinités familières, ainsi que de nombreuses danseuses sacrées *(Apsaras)*, se livrant à toutes sortes d'activités domestiques, et une grande variété d'animaux, des plus fabuleux aux plus communs. Il convient aussi de ne pas oublier que la mentalité des Indiens du Moyen Âge, qui n'avaient pas encore subi l'influence de l'islam, était totalement différente de celle des peuples christianisés ou sémitiques : les tabous sexuels n'existaient pas, et les rapports entre hommes et femmes étaient une activité comme une autre, au même titre que le travail, la nourriture et la prière. Certaines sectes plaçaient même le plaisir physique *(bhoga)* sur le même plan que

l'exercice spirituel *(yoga)* comme moyen d'atteindre le salut. Il y a, en tout cas, une interprétation à bannir d'emblée : celle d'une manifestation pornographique.

La présence de ces sculptures peut s'expliquer de plusieurs façons. Tout d'abord, les textes anciens indiquent que l'image d'un couple enlacé, placée à l'entrée d'un monument, protège celui-ci contre le mauvais sort (ou la foudre) ; par la suite, cette image fut considérée comme un simple porte-bonheur pour ceux qui pénétraient dans le temple. D'autre part, l'érotisme n'était pas réservé à la sculpture. Depuis la période védique, il faisait partie des contes traditionnels. On ne le trouve pas seulement dans le *Kamasutra,* mais dans beaucoup des poèmes et des épopées qui composaient le bagage intellectuel de l'Indien médiéval. Lorsque celui-ci se rendait à Khajuraho, ce qu'il y voyait ne pouvait donc pas l'étonner.

Dans l'art indien, la représentation physique comporte, le plus souvent, un symbolisme qui la transcende. En l'occurrence, on peut penser que les couples enlacés sont une allusion au vieux thème védique selon lequel, au même titre que l'union de l'homme et de la femme prélude à la reproduction, l'attirance entre les principes opposés est, sur le plan cosmique, la source de la création. La recherche de son contraire par l'Être suprême est symbolisée par l'union de Çiva et de Parvati, la déesse mère. La joie de l'union physique reflète celle qu'éprouve la divinité à créer le monde.

L'Inde des maharajas

Rudyard Kipling, le chantre de l'Angleterre coloniale, disait, en parlant des maharajas, que « ces hommes avaient été créés par la Providence afin de pourvoir le monde en décors pittoresques, en histoires de tigres et en spectacles grandioses ». Conception très exagérée :

▲
Des 85 temples qui s'élevaient jadis à Khajuraho, 22 ont résisté à l'épreuve du temps : dégagés de la jungle qui les avait ensevelis, ils offrent à l'admiration des visiteurs leur architecture pyramidale, foisonnante de sculptures et dominée par la haute tour aux arêtes courbes du shikhara.
Phot. Desmarteau-Explorer

▶
Cœur d'un monastère bouddhique fondé au IIIe siècle av. J.-C., le grand stupa du modeste village de Sanchi est entouré d'une balustrade de pierre s'ouvrant par quatre portiques abondamment sculptés, les toranas.
Phot. C. Lénars

l'Inde

les maharajas (titre indien signifiant «grand roi») étaient des princes locaux, parmi lesquels on trouvait quelques véritables souverains et beaucoup de petits chefs de district sans grande fortune. Quoi qu'il en soit, les 565 maharajas qui régnaient encore en 1947 possédaient, à eux tous, un tiers du territoire indien et gouvernaient un quart de sa population. Ils étaient les descendants des princes qui avaient accepté de se soumettre à la domination anglaise, préservant ainsi leurs richesses, ce qui n'avait pas été le cas des quelques résistants. Leur période de faste n'a pas survécu à l'Empire britannique, la République indienne ne pouvant tolérer des privilèges aussi exorbitants. Mais, jusqu'à la Seconde Guerre mondiale, le monde entier était au courant de leurs extravagances, quitte à oublier le travail administratif et social effectué par certains d'entre eux.

Dans ce pays mystique, on attribuait la puissance des maharajas — généralement acquise sur les champs de bataille — à une origine divine : la Lune pour celui de Mysore, le Soleil pour celui d'Udaipur. Ils méritaient donc tout le respect et tous les sacrifices qu'ils exigeaient de leurs sujets. Ceux-ci ne rechignaient pas devant charges et impôts — dont le plus spectaculaire était le poids du souverain en or —, car la gloire de leur prince rejaillissait sur eux en festivités religieuses et populaires.

Le luxe délirant commençait à être périmé à l'époque de la Seconde Guerre mondiale. Les maharajas de la nouvelle génération avaient souvent fréquenté les universités européennes, et ils s'efforçaient de dépenser leur fortune d'une manière plus rationnelle que par le passé : irrigation dans le Rajasthan, université et barrages hydro-électriques à Mysore, observatoire à Jaipur, routes, hôpitaux, etc. Tous se montrèrent loyaux vis-à-vis de l'Angleterre pendant

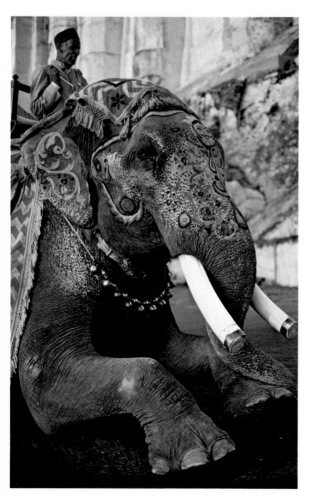

◄
À l'occasion de certaines fêtes, ou simplement pour le plaisir des touristes, les éléphants du Rajasthan retrouvent la somptueuse parure qui faisait d'eux l'un des éléments les plus décoratifs de la cour des fastueux maharajas.
Phot. Michaud-Rapho

▲
Les écrans de pierre ajourée qui garnissent les multiples balcons en saillie du palais des Vents de Jaipur permettaient au maharaja, à ses femmes et à ses courtisans d'assister aux fêtes publiques sans s'exposer aux regards de la populace.
Phot. J. Gabanou-C. D. Tétrel

la guerre et lui fournirent des troupes bien entraînées. Mais leurs jours étaient comptés, et l'indépendance sonna le glas de leur puissance. En 1947, le nouvel État indien fit pourtant des concessions, afin qu'ils acceptent d'intégrer pacifiquement leurs royaumes à l'Union. Mais les privilèges qui leur restaient parurent de plus en plus choquants dans un État démocratique, et, en 1974, ils devinrent des citoyens comme les autres. Aujourd'hui, si quelques maharajas se résignent difficilement à leur nouvelle condition, beaucoup d'autres ont su se reconvertir. On en trouve dans l'armée, dans les affaires (certains ont transformé leur palais en hôtel de luxe), dans la diplomatie (le maharaja de Jaipur a été ambassadeur à Madrid).

Le maharaja astronome de Jaipur

En 1977, Jaipur a fêté ses deux cent cinquante ans : la ville, capitale du Rajasthan, fut fondée en 1727 par un prince érudit, Jai Singh II (1699-1743), passionné d'astronomie. Ses tables de

L'extravagant palais des maharajas de Jaipur, transformé en musée (importantes collections de manuscrits), se compose de plusieurs édifices de marbre blanc — dont Chandra Mahal, à sept étages — et d'élégants pavillons de grès rose incrusté de marbre blanc et noir. Des jardins délicats, avec fontaines et pièces d'eau, complètent cette demeure de légende.

À quelques kilomètres de Jaipur, Amber, l'ancienne capitale du Rajasthan, abandonnée lorsque le maharaja Jai Singh II fonda Jaipur et décida de s'y installer, s'étage en terrasses sur les pentes d'une colline couronnée par une ancienne forteresse. On gravit le chemin qui mène au palais sur un éléphant caparaçonné et décoré comme aux plus grands jours de fête. La porte du Soleil, suffisamment haute pour que l'animal puisse passer, donne sur une immense cour intérieure, au-delà de laquelle on découvre des escaliers dérobés, des jardins secrets, de multiples salles aux murs décorés de mosaïques de verre et incrustés de miroirs qui réfléchissent sans fin la lumière.

calcul sont encore utilisables, et les observatoires qu'il a créés (il en reste quatre, à Jaipur, Delhi, Ujjain et Bénarès, celui de Mathurā ayant disparu) demeurent d'un étonnant modernisme. Mais son œuvre principale reste Jaipur, ville à l'urbanisme précurseur, aux larges avenues, aux constructions roses, décorées de blanc, qui lui donnent une douceur particulière. Au centre, le Hawa Mahal (« palais des Vents »), dont la curieuse façade rose est percée d'une multitude d'ouvertures, protégées par des écrans ajourés au travers desquels les personnalités de la Cour pouvaient contempler le spectacle de la rue à l'abri des regards indiscrets.

▲

Amber, première capitale de l'État de Jaipur. Porte d'honneur du Ganesh Pol, donnant accès à la partie privée du vieux palais : à travers la dentelle de marbre des baies, les femmes de la Cour assistaient aux cérémonies.
Phot. Guillou-Atlas-Photo

Un palais au milieu d'un lac

Une atmosphère de rêve flotte à Udaipur, où, au milieu d'un lac, un palais de marbre blanc se mire dans des eaux immobiles. Patios fleuris, chambres silencieuses et terrasses au bord de l'eau ont été construits au milieu du XVIIIe siècle pour accueillir les hôtes du maharana de Mewar (le titre de maharana est le plus prestigieux en Inde; viennent ensuite ceux de maharaja, de raja et de rawal, ou nabab). Cette île-palais a été transformée en hôtel.

L'actuel maharana habite, sur la rive du lac Pichhola, un palais grandiose aux tours massives surmontées de coupoles. C'est le plus vaste du Rajasthan, et on aurait du mal à dénombrer ses halls, ses salons, ses cours et ses jardins. On en visite une partie, où l'on peut admirer de magnifiques collections de peintures et de miniatures anciennes.

La région est belle. Dans la campagne, la vie reste inchangée. Les femmes, vêtues de larges jupes et drapées dans des voiles rouges et orange, vont en cortège au puits ou à la fontaine, portant en équilibre sur leur tête des jarres de cuivre qui étincellent au soleil. Sur les routes, on croise des attelages tirés par des bœufs aux longues cornes peintes.

Les temples jaïns de Ranakpur

Ranakpur est à moins de 100 km d'Udaipur, dans une région de collines boisées. Au creux d'une vallée presque secrète se dressent les temples de Ranakpur, sanctuaires jaïns d'une extraordinaire beauté, où la magie des formes explose en fantaisie somptueuse jusque dans les moindres recoins.

Le temple d'Adinath, le plus important, fut construit en 1433 par un riche marchand, sous

◄
Dérivé, comme le bouddhisme et à la même époque, du brahmanisme, le jaïnisme a édifié à Ranakpur des temples d'un dessin compliqué, peuplés de forêts de piliers et sculptés jusque dans leurs moindres recoins.
Phot. S. Held

▲
Udaipur : semblant flotter sur les eaux du lac Pichhola, des alignements de colonnettes blanches et de légers pavillons aux dômes ouvragés accueillaient les hôtes du puissant maharana de Mewar.
Phot. S. Held

le règne et avec l'aide du maharana Kumbha-karna, dont les revenus venaient d'être sensiblement accrus par la découverte de mines d'or et de plomb au Mewar. C'est un énorme édifice aux murs extérieurs imposants, érigé sur une plate-forme et hérissé de dômes et de *shikhara*. À l'intérieur, une forêt de piliers et de colonnes, une multitude de salles et de passages, une profusion de plafonds et de coupoles sont ornés à la limite de l'imaginable : aucun espace n'a échappé au ciseau des sculpteurs. On est saisi de vertige devant ce flot de détails, traduisant une intention mystique d'exprimer l'invisible par le visible. Les sculptures représentent des scènes mythologiques où déesses et *Apsaras* dansent et jouent de la flûte. Les tailles sont fines, les poses mettent l'accent sur la grâce des corps féminins. Ce temple est toujours en activité, et il est animé par une ferveur religieuse constante.

Le jaïnisme, fondé à peu près à la même époque que le bouddhisme, prône le détachement des choses de ce monde et le respect de toute vie. (Certains jaïns portent un mouchoir devant leur visage pour éviter de respirer les très petits insectes et balaient devant eux pour écarter les infimes bestioles qu'ils pourraient écraser.) Les moines font en outre le vœu de dire toujours la vérité, de ne rien posséder, de ne rien acquérir et d'être chastes. En raison de l'austérité de sa morale, le jaïnisme n'est jamais devenu une religion de masse. Ses adeptes, actuellement au nombre de 2 millions environ, se recrutent principalement parmi les commerçants aisés, les banquiers et les hommes de loi. À Ranakpur comme dans les autres grands sanctuaires jaïns, que ce soit au mont Girnar, au mont Abu ou à Parasnath, où les pèlerins affluent, c'est à ces riches laïcs qu'incombe la décoration des temples et le culte des images : ils apportent des offrandes, brûlent des bâtonnets d'encens, allument des cierges et récitent les formules sacrées.

◄
Oubliée dans le désert de Thar, au bord d'une route qu'empruntaient jadis les caravanes, la petite ville de Jaisalmer somnole au pied d'une puissante forteresse désormais sans emploi.
Phot. Errath-Explorer

▲
Ici, les siècles passent, avec leur cortège de guerres,
d'invasions, de cataclysmes et de révolutions, sans
apporter de changement notable à la vie quotidienne
des femmes en sari, qui poursuivent immuablement
leurs humbles besognes.
Phot. J. Gabanou-C. D. Tétrel

La puissance créatrice de l'Est

À l'est de l'Inde du Nord se trouve Calcutta, capitale du Bengale-Occidental et plus grande ville du pays (8 millions d'habitants environ). La vie y est dense, intense : on l'aime ou on la déteste. Calcutta fascine ou révolte, mais ne saurait laisser indifférent. Tout y est : tous les extrêmes y cohabitent, tout s'y étale avec évidence, depuis les rues les plus grouillantes et les plus misérables du globe jusqu'aux palaces les plus somptueux et les boîtes de nuit les plus sophistiquées, en passant par les symboles classiques de l'époque victorienne. Quelques-uns des plus grands poètes et écrivains indiens (Rabindranath Tagore, Çri Aurobindo) sont issus de ce bouillant Bengale au phénoménal entassement humain.

Calcutta fut la capitale des Indes britanniques jusqu'en 1911 (où Delhi prit sa place). Elle en garde la marque dans ses monuments et ses palais de marbre blanc, dans ses vastes espaces verts au gazon ras, où la foule vient écouter les discours improvisés et regarder les prouesses des fakirs et des montreurs de singes. Une image encore : celle du fameux pont d'Howrah, qu'empruntent chaque jour un million de personnes, à pied, en *rickshaw* (pousse-pousse), en voiture ou à bicyclette, dans une cohue indescriptible.

Calcutta est une plaque tournante. Les routes du nord mènent à Darjeeling et aux pays de l'Himalaya, Sikkim et Bhoutan; celles du sud à l'État d'Orissa, où des découvertes vous attendent : à Bhubaneswar, dont les temples innombrables datent du VIIIe et du XIIIe siècle ; à Puri, l'une des villes sacrées des hindous ; à Konarak, où un temple du Soleil, datant du XIIIe siècle, émerge du sable. Ce temple représente un char tiré par six chevaux de pierre. Vingt-quatre roues gigantesques symbolisent le cycle solaire. Le char emporte tout un monde de musiciens, de courtisans, de soldats, de couples unis dans des étreintes mystiques. Le règne animal n'est pas oublié : éléphants, lions et oiseaux font partie de cet univers. Tous les aspects de la vie s'offrent aux rayons purificateurs du dieu Soleil, dans un hymne d'une exubérance et d'une variété infinies, à l'image du génie créateur que l'Inde a manifesté au long des siècles ■

Suzanne HELD

▲

Dédié à Surya, dieu du Soleil, le temple de Konarak est censé représenter le char solaire, tiré par des chevaux de pierre et porté par d'énormes roues ciselées comme des pièces d'orfèvrerie.
Phot. E. Guillou

Le Bangla Desh

République indépendante depuis 1971, l'ancien Pakistan oriental a pris le nom de «Bangla Desh» (Bengale libre) — ou Bangladesh — parce qu'il constitue la région orientale du Bengale, la partie occidentale de celui-ci appartenant à l'Inde. Avec plus de 80 millions d'habitants — dont 80 p. 100 de musulmans et 18 p. 100 d'hindous — sur 142 000 km², sa densité de population est la plus élevée du globe.

À Dacca, la capitale, la vieille ville grouille d'une vie intense, et la foule se presse dans des rues encombrées par les rickshaws et les marchands installés sur les trottoirs; dans la ville moderne, les larges avenues des quartiers résidentiels sont bordées d'immeubles de dix étages.

Les Bengalis sont amicaux et chaleureux, malgré les calamités qui se sont abattues sur eux. Dans les campagnes, des villages aux maisons recouvertes de chaume, abritées par des touffes de cocotiers et de bananiers, émaillent les rizières. Meilleure saison : de novembre à février; mousson de juin à octobre.

l'Inde du Sud

Formée par les États d'Andhra Pradesh, de Tamil Nadu, de Kerala et de Karnataka, l'Inde du Sud est une sorte de contrepoint aux régions septentrionales. Plus heureuse dans sa résistance aux envahisseurs, elle se présente comme la gardienne des traditions anciennes, et le fait d'avoir été épargnée par les grands bouleversements l'a rendue plus conservatrice.

L'opposition des populations de la péninsule du Deccan aux pénétrations étrangères s'est manifestée dès les temps les plus reculés : les Aryens, qui se fixèrent au XVe siècle av. J.-C. dans les plaines du Nord, se heurtèrent dans le Sud à une résistance tenace, et très peu d'entre eux réussirent à s'y installer. L'influence indo-européenne ne s'exerça donc pas sur les autochtones, qui préservèrent leur mode de vie, leurs coutumes.

L'organisation politique de l'Inde du Sud autour de dynasties locales se fit progressivement. Au Moyen Âge, deux royaumes eurent une influence prépondérante : celui des Pallava, qui exerçaient leur domination sur la côte orientale depuis leur capitale de Kanchipuram, et celui des Chalukya, sur la côte occidentale. Alternativement, l'un ou l'autre de ces États soumit les principautés voisines. Les Chalukya atteignirent leur expansion maximale au VIIe siècle, avec Pulakeçin II (610-642), mais ils furent bientôt supplantés par les Pallava, qui leur reprirent des provinces et s'aventurèrent jusqu'à Ceylan.

Au moment de la conquête du Nord par les musulmans, le centre de gravité de l'Inde traditionnelle se déplaça vers le sud. Une transformation s'effectua dans les États du Deccan, qui se tournèrent vers des activités maritimes. Vers la fin du IXe siècle s'affermit la puissance d'une dynastie déjà ancienne, celle des Chola, souverains tamouls de l'extrême sud de la péninsule. Supplantant les royaumes rivaux du Deccan, ils bâtirent un empire maritime qui s'étendait sur Ceylan et une partie de l'Asie du Sud-Est.

À cette époque, le bouddhisme avait pratiquement disparu du sud de l'Inde, et les souverains se firent les champions d'un hindouisme devenu plus mystique et plus sentimental, donc plus accessible au peuple. Alors que, dans le Nord, la progression de l'islam étouffait la pensée et l'art brahmaniques, ceux-ci connurent une période brillante dans le Sud. La vie intellectuelle s'y manifesta en deux langues : le sanskrit, langue érudite, utilisée pour les traités de droit, la philosophie et les textes sacrés, et le tamoul, qui connut un regain de faveur à partir du VIIe siècle, surtout de la part des poètes (il reste de cette époque un grand poème épique, le *Ramayana* de Kamban).

Madras,
capitale du pays tamoul

Madras, capitale du Tamil Nadu, a toute la saveur du Sud, mélange d'exubérance, de couleurs et de ferveur. Étirée le long du golfe du Bengale, cette métropole (3 millions d'habitants) ne ressemble à aucune autre, car elle n'a pas encore été contaminée par le rythme occidental. Dans ses larges avenues circulent pêle-mêle voitures, taxis-scooters, chars à bœufs,

▲
Bâti en granite, le temple du Rivage de Mahabalipuram résiste depuis près de treize cents ans aux pluies de la mousson, aux ardeurs du soleil, au vent chargé de sable et aux embruns du golfe du Bengale.
Phot. Desjardins-Top

l'Inde

21

Ce Çiva dansant, ou Nataraja, chef-d'œuvre de la sculpture hindoue, figure dans une galerie du Pantheon Museum de Madras. Le mouvement est rendu avec une perfection qu'aucun bronze, peut-être, n'a jamais atteinte. «Çiva Nataraja, immuable de beauté», disait Rodin. Les statues de cette galerie furent exécutées entre le Xᵉ et le XIIIᵉ siècle, sous le règne des Chola, selon la technique de la cire perdue. Elles représentent surtout des divinités brahmaniques : Çiva dans sa danse cosmique; le couple divin Çiva et Parvati; leur fils Ganeça, le dieu à tête d'éléphant. La plupart de ces statues étaient destinées à être transportées sur des chars qui, tirés par des centaines d'hommes, parcouraient lentement les rues des villes lors des grandes fêtes religieuses.

Les sculptures de Mahabalipuram

Infinie richesse de l'Inde, de cette Inde du Sud qui témoigne à tous les niveaux de son génie créateur. À la beauté du bronze poli, ciselé, répond celle de la pierre taillée, sculptée, formant une composition magistrale à Mahabalipuram, au sud de Madras. C'est là, sur la côte de Coromandel, que les Pallava créèrent un port grâce auquel un courant d'échanges important s'établit avec les pays du Sud-Est asiatique.

▲ Surtout répandue dans le sud de l'Inde, la danse classique du bharatanatya est exécutée par une seule ballerine, accompagnée d'un orchestre et d'un chœur.
Phot. Michaud-Rapho

Histoire
Quelques repères

IIIᵉ-XIIᵉ s. : dynastie des Pallava, dont l'âge d'or se situe au VIIᵉ et au VIIIᵉ s. (temples de Kanchipuram et Mahabalipuram).
550-757 : première dynastie Chalukya à Badami; guerres contre les Pallava.
757-973 : dynastie des Rashtrakuta.
850-1279 : empire des Chola de Tanjore (temples de Tiruchchirappalli et Tanjore).
973-1190 : deuxième dynastie Chalukya à Kalyani.
1110-1327 : dynastie des Hoysala au centre du Deccan (temples de Halebid, Belur et Somnathpur).
1175-1323 : dynastie des Kakatiya à Warangal.
1311 : extinction de la dynastie des Pandya, qui régnait à Madurai depuis près de deux mille ans.
1308-1326 : les musulmans s'emparent du Deccan et du sud de l'Inde.
1336 : fondation du dernier royaume hindou à Vijayanagar (Hampi).
1345 : royaume musulman des Bahmani au Deccan.
1498 : Vasco de Gama débarque à Calicut, sur la côte de Malabar.
1510 : prise de Goa par Albuquerque.
1565: bataille de Talikota et sac de Vijayanagar par les musulmans.
XVIIᵉ s. : les Portugais, qui ont créé leurs premiers comptoirs au XVIᵉ s., sont concurrencés par les autres nations européennes.
1640 : fondation de Madras par les Anglais.
1674 : fondation de Pondichéry par les Français.
1782-1799 : Tippoo Sahib, sultan du Mysore.
1954 : les comptoirs français sont rattachés à l'Inde.
1961 : les comptoirs portugais sont rattachés à l'Inde.

Les siècles se sont écoulés. Que reste-t-il, aujourd'hui, de ce passé prestigieux? Un tout petit village, un temple dominant la mer que les pêcheurs affrontent dans de frêles embarcations taillées dans des troncs d'arbres, des sanctuaires monolithiques et un rocher-sculpture gigantesque.

Un piton de granite a fourni la matière de cet immense bas-relief (27 m de long sur 9 m de haut, l'un des plus grands du monde), qui raconte la légende çivaïque de la «Descente du Gange sur la terre». Composition géniale, utilisant le mouvement suggéré par la pierre; magistrale sculpture dominée, dans sa partie nord, par la masse de deux grands éléphants, dont la puissance confère à l'ensemble une vigueur inégalée.

Mais ce qui est peut-être le plus remarquable, c'est l'ingéniosité des sculpteurs, utilisant la faille qui sillonne le rocher pour y placer le centre de la composition, l'endroit vers lequel tout converge. Cette crevasse devient le lit du Gange, le fleuve sacré. Sur ses bords, tous les éléments du bas-relief s'ordonnent. Dans l'étroite fissure se lovent les corps sinueux des naga et des nagini, serpents surmontés de bustes humains, masculins ou féminins,

rickshaws, bicyclettes et piétons; les bâtiments élevés sont rares, et la ville a presque un air de province. Une province privilégiée, dotée d'une plage qui est une des plus belles que l'on puisse imaginer, mais qui, curieusement, ne sert que de décor, toile de fond plantée pour l'agrément des promenades au coucher du soleil.

L'action se passe ailleurs, dans le quartier de Mylapore, autour du temple çivaïste de Kapalishwara, et dans les vastes marchés — Fruit Market, Moor Market — où fleurs et fruits exotiques, disposés en pyramides de couleurs vives, rivalisent avec les tons éclatants des saris que portent les femmes.

Ville industrielle; ville intellectuelle où la recherche se développe dans les instituts et les universités; ville où les arts sont privilégiés : cinéma (les studios Gemini sont les plus importants de l'Inde, premier producteur de films du monde); danse, grâce à une école où sont enseignées les techniques traditionnelles du bharatanatya, danse sacrée exécutée dans les temples en l'honneur de Çiva et reproduisant le geste, l'équilibre parfait du dieu figé dans le bronze en une pose idéale.

▲ Tirés par d'innombrables fidèles, d'énormes chars participent aux processions religieuses de l'Inde du Sud, et si leurs gigantesques roues écrasent quelqu'un, la tradition veut que la victime échappe à la fatalité des réincarnations.
Phot. Boubat-Top

▶ Ancien «État de Madras», le Tamil Nadu est le pays des Tamouls à la peau sombre, dont la langue est un des plus vieux idiomes de l'Inde.
Phot. Michaud-Rapho

symbolisant les divinités de ces régions étranges, domaine souterrain des créatures mythiques appartenant au culte des eaux. De chaque côté se déploie un univers peuplé d'êtres célestes, de princes et de princesses, entourés de toutes sortes d'animaux. La multitude des personnages, disposés à des niveaux imbriqués, crée un rythme, un dynamisme qui se propage à la composition tout entière. Des sanctuaires rupestres complètent cet ensemble. Ce sont des *mandapas*, salles dont le plafond est soutenu par des rangées de colonnes sculptées, d'un style particulier à l'architecture des Pallava. Dans l'un de ces sanctuaires, dédié à Krishna, une sorte de mur-image, formé par un immense bas-relief, illustre les exploits du dieu, rendu familier par des scènes naïves : le voici jouant de la flûte, ailleurs en train de traire une vache qui lèche son veau. Détails charmants, d'une méticulosité sans mièvrerie.

Un peu plus loin, le *mandapa* de Mahishasuramardini est orné de scènes tirées de la mythologie hindoue. Un des sujets traditionnels montre Vichnou, allongé sur le corps du serpent géant Ananta, rêvant à quelque vision cosmique, entouré d'*Apsaras* (danseuses célestes). En face, un des plus beaux bas-reliefs qui soient représente la lutte de Durga, épouse de Çiva, et de Mahisha, le démon à tête de buffle. La déesse est montée sur un lion, et ses huit mains brandissent les armes que les dieux lui ont données pour assurer sa victoire. Magistrale composition au style ferme, sans ornement superflu, dont la rigueur et la puissance d'expression font penser aux métopes d'Olympie.

Dans la partie sud de Mahabalipuram, cinq temples taillés dans la diorite ont reçu le nom de *rathas* (chars de procession) parce qu'ils symbolisent les véhicules des dieux. Hauts de 6 m, ils ont été sculptés au VIIᵉ siècle dans des

blocs de pierre et sont ornés de magnifiques hauts-reliefs très représentatifs de l'époque des Pallava. Temples inachevés, car la mort de Narasimhavarman Iᵉʳ, en 668, arrêta les travaux. Mahendravarman II lui succéda, mais il ne régna que deux ans, et ce fut son fils, Narasimhavarman II, qui, renonçant à l'architecture monolithique, fit construire le temple du Rivage à Mahabalipuram et le Kailashanatha à Kanchipuram. Ces derniers témoignent de l'évolution profonde qui s'opérait alors dans l'architecture : ce sont les premiers édifices de l'Inde du Sud construits en pierre de taille et non plus creusés dans le rocher ou bâtis en bois.

Depuis le début du VIIIᵉ siècle, le temple du Rivage se dresse sur la grève, offrant aux embruns destructeurs ses statues et ses toits de pierre sculptés. Le soleil, le vent, le sable ont accompli leur lent travail d'érosion, dont l'effet a été de polir la pierre, de lui donner une sorte de douceur inhabituelle. Ce temple est un sanctuaire çivaïque. La chambre principale s'ouvre sur la mer, face au soleil levant, dont les premiers rayons viennent illuminer le lieu saint. L'édifice domine la plage, où les femmes viennent se baigner tout habillées dans l'écume des vagues ; leurs *saris* se plaquent sur leur corps, sculptant leurs formes à la manière des statues antiques : Mahabalipuram sécrète une harmonie, une poésie particulières.

Datant également du début du VIIIᵉ siècle, le temple du Kailashanatha se dresse à Kanchipuram, qui fut la capitale du royaume Pallava au moment de son apogée. Cette ville, parmi les plus anciennes de l'Inde du Sud, où s'élèvent une centaine de sanctuaires, est l'une des sept cités saintes de l'hindouisme. Le temple du Kailashanatha est situé à la lisière de la ville actuelle, près des dernières maisons basses où retentit le bruit sec et rythmé des métiers à

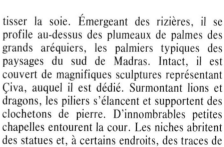

tisser la soie. Émergeant des rizières, il se profile au-dessus des plumeaux de palmes des grands aréquiers, les palmiers typiques des paysages du sud de Madras. Intact, il est couvert de magnifiques sculptures représentant Çiva, auquel il est dédié. Surmontant lions et dragons, les piliers s'élancent et supportent des clochetons de pierre. D'innombrables petites chapelles entourent la cour. Les niches abritent des statues et, à certains endroits, des traces de

▲
Sculpté, face au soleil levant, dans la paroi d'une haute falaise de Mahabalipuram, le panneau représentant la Descente du Gange, long de 27 m et haut de 9 m, passe pour le plus grand bas-relief du monde (détail).
Phot. S. Held

peintures murales du VIIIᵉ siècle sont encore visibles : les ocres et les rouges réchauffent la pierre, se fondent dans la patine du temps.

L'élégance des proportions donne à ce temple une mesure humaine. Ici, les dimensions ne déroutent pas : elles sont encore loin du gigantisme qui caractérise les monuments des époques suivantes, tels les temples de Brihadishvara à Tanjore, de Srirangam à Tiruchchirappalli, et de Minakshi à Madurai.

▲

Exploitant les formes naturelles du granite, les rathas de Mahabalipuram, taillés à même le roc, sont de petits temples en forme de chars de procession, dont les artistes du VIIᵉ siècle ont omis de sculpter les roues.
Phot. E. Guillou

À Tanjore,
l'apothéose de l'art des Chola

Les empereurs Chola, dont la dynastie régna du IXᵉ au XIIIᵉ siècle, furent de grands bâtisseurs. Chaque village avait son temple, hérissé de hauts *gopurams* (tours-portails) dressés au-dessus des murs d'enceinte.

Le plus fabuleux de ces temples est celui de Brihadishvara, le plus grand de l'Inde du Sud, que le roi Rajaraja, victorieux des Chalukya, fit construire vers l'an 1000 à Tanjore, sa capitale, au moment où l'empire des Chola atteignait son apogée. Temple de la victoire, dédié à Çiva, cet ensemble colossal, tout en gardant certaines conceptions empruntées à l'architecture des Pallava, innove totalement par ses proportions gigantesques.

▶

Dans le temple de Brihadishvara, à Tanjore, s'élève une imposante tour-sanctuaire, la vimana, *dont les 13 étages, bâtis en retrait et couronnés par une lourde coupole de pierre, culminent à près de 60 m.*
Phot. E. Guillou

l'Inde

25

Tiruchchirappalli, ville du démon à trois têtes terrassé par Çiva, ou encore « ville du Rocher sacré », que couronne un fort édifié par les Nayaks de Madurai au XVIe siècle, est surtout la cité vivante formée, dans l'île de Srirangam, par le temple de Ranganatha Swami, immense complexe dédié à Vichnou. On se perd dans le dédale des cours et des *mandapas*, à l'ombre des *gopurams*, érigés, pour la plupart, entre le XIVe et le XVIIe siècle. Au cours des âges, on construisit successivement sept enceintes concentriques, enserrant entre leurs murs épais tous les petits commerces installés autour du sanctuaire, créant une sorte de bazar permanent, haut en couleur. La vie du temple, centre de toutes les activités, est non seulement le fait des brahmanes au service des dieux, mais aussi celui des marchands, des artisans.

Les attelages, tirés par des bœufs blancs dont les longues cornes effilées se rejoignent presque au-dessus de la tête, franchissent, dociles au milieu de la foule, les porches étroits qui s'ouvrent dans les enceintes. Il se crée une sorte d'approche du lieu saint, coupée d'étapes, où les images de la vie quotidienne disparaissent l'une après l'autre, s'estompent progressivement pour réapparaître soudain avec les vendeurs d'offrandes destinées aux dieux : noix de coco, bananes, fleurs de lotus disposées sur de petits plateaux.

Cette lente progression mène à la cour des Chevaux cabrés (XVIe s.), où une haie de

▶
Joyaux de l'art de Vijayanagar (XVIe s.), les célèbres chevaux cabrés du temple de Srirangam, à Tiruchchirappalli, écrasent sous leurs sabots des personnages figurant les vices et les passions des hommes.
Phot. Nou-Explorer

Double page suivante :
Dans le grand temple de Madurai, tout au fond de la mandapa des Mille Colonnes, vaste hall aux piliers sculptés d'animaux fantastiques, brille la petite lueur pourpre du sanctuaire de Nateshvara, dieu de la Danse.
Phot. E. Guillou

La tour *(vimana)*, qui se dresse à près de 60 m, est couronnée par une coupole monolithique pesant 80 t. Hisser à une telle hauteur cette énorme masse de pierre fut un exploit extraordinaire (on suppose que les constructeurs eurent recours à un plan incliné de 6 km de long, méthode employée par les Égyptiens pour l'édification des pyramides). Colossal également le bloc de granite noir dans lequel est taillé Nandi, le taureau sacré, monture de Çiva, placé près d'une des portes du temple ; l'huile et le lait dont les fidèles l'enduisent constamment lui donnent un éclat particulier, semblable à celui du bronze. L'extérieur du *vimana* (seuls les hindous peuvent pénétrer à l'intérieur) est entièrement recouvert de rangées de niches, encadrées de piliers à demi détachés de la pierre ; la multitude des statues que contiennent ces niches s'étage jusqu'au sommet, en treize paliers successifs, créant un rythme régulier, équilibré, dont l'ordonnance confère une sorte de classicisme à l'art des Chola.

▶
L'îlot de Srirangam, à Tiruchchirappalli, porte un immense ensemble religieux, ceinturé de 7 enceintes dont les 21 portes sont surmontées d'un gopuram, haute tour-porche de forme pyramidale, couverte de statues et de colonnettes.
Phot. S. Held

▶
Sur la plage de Mahabalipuram, des Indiennes, revêtues de leur sari, comme le veut la coutume, vont se plonger dans l'écume des rouleaux qui déferlent inlassablement sur la côte de Coromandel.
Phot. Desjardins-Top

grands destriers de pierre, prêts au combat, décore les piliers de l'un des nombreux halls qui constituent le temple. Art à la fois puissant et raffiné, soucieux des détails, telles les fines enluminures qui ornent les harnais. Vision dynamique, adoucie par les tons roses que peut prendre la pierre sous les rayons du soleil.

En avançant vers le centre du sanctuaire, on découvre ensuite l'immense salle des Mille Colonnes, forêt presque inquiétante, peuplée de statues, où flotte l'odeur âcre des chauvessouris. La visite, pour les non-hindous, s'arrête là, à la limite du lieu saint, surmonté d'un dôme doré signalant aux fidèles le cœur du temple.

Le panthéon polychrome de Madurai

Les grands sanctuaires hindous, véritables villes-temples, forment un monde fascinant, captivant. Au pullulement des sculptures qui couvrent toute la hauteur des *gopurams* fait pendant un fourmillement humain aussi dense. À Madurai, le grand temple de Minakshi fut construit par les souverains Nayaks au XVIIe siècle, époque des édifices immenses, les plus vastes de l'Inde. En réalité, il est composé de sanctuaires jumeaux, consacrés l'un à Sundareshvara (Çiva), l'autre à Minakshi, la déesse « au yeux de poisson ». Neuf tours ponctuent l'ensemble et hissent dans le ciel un univers de

divinités chamarrées, peintes de couleurs vives que les moussons ternissent à peine (c'est le premier grand temple de l'Inde restauré avec ses couleurs originales). À l'intérieur, une multitude de cours, de corridors, de bâtiments aux rangées de piliers sculptés, aux salles multiples, dont la *mandapa* des Mille Colonnes (en réalité, 985), où les flammes vacillantes des lampes à huile font surgir de l'ombre les silhouettes fantomatiques de dieux, de déesses, de monstres étranges...

Un étroit corridor mène au bassin sacré du Lotus d'or, qui, selon la légende, servait à apprécier d'une manière originale la valeur des œuvres littéraires : les bonnes surnageaient, les autres coulaient à pic dans ces eaux pleines de discernement.

Le grand temple de Madurai est une cité religieuse vivante. Tout au long du jour s'y déroulent des cérémonies dont la tradition remonte à des millénaires. L'aube voit la première *puja* (hommage). Les lampes rituelles s'allument, un chant accompagné de *vina* (sorte de cithare) adoucit l'éveil du dieu, dont les fidèles cherchent à capter le premier regard afin de sanctifier leur journée. La foule des pèlerins déambule, murmurant prières et chants religieux, disposant au pied des statues des offrandes composées le plus souvent de noix de coco ouvertes, de fleurs et de gâteaux de miel. On vénère Ganeça, seigneur des obstacles ; Sarasvati, déesse de l'érudition ; Draupadi, symbole de la vertu féminine. Pour apaiser Kali la terrible, on bombarde son effigie de boulettes de *ghee* (beurre clarifié), dont l'odeur un peu rance se mêle aux parfums doucereux des bâtonnets d'encens.

Chaque soir, un cérémonial au pouvoir magique se déroule dans le temple. Aux sons des cymbales, des trompettes et des tambours,

que les voûtes répercutent dans un air moite, doucement brassé par des éventails en plumes de paon, avance lentement, parmi les fidèles agenouillés, un lourd palanquin d'argent porté par des hommes : c'est le dieu Çiva que l'on conduit en grande pompe auprès de son épouse Minakshi, afin qu'il passe la nuit en sa compagnie. Dans ce cadre grandiose, où la flamme des torches éclaire les statues d'une lumière théâtrale, le spectacle est extraordinaire.

Danses et exotisme au Kerala

Au Kerala, le long de la mer d'Oman, c'est également une sorte de rituel que perpétuent les danseurs du *kathakali*. Cet art populaire, dont l'origine se perd dans la nuit des temps, est fondé sur la danse et le mime. Chaque pas, chaque geste a un sens précis, codifié au XVIIe siècle et parfaitement connu des spectateurs. Tous les rôles sont tenus par des hommes, qui, dès leur plus jeune âge, se sont exercés à utiliser avec une extraordinaire maîtrise leurs yeux et chaque muscle de leur visage — palpitation de la narine, frémissement du sourcil, vibration des lèvres —, afin de pouvoir exprimer toutes les émotions, de la tendresse la plus subtile au paroxysme de la colère. Ici, tout est symbole, depuis le maquillage outrancier des interprètes jusqu'à l'énorme lampe à huile qui sépare la scène des spectateurs : les deux mèches qui brûlent à son sommet — une grosse, face aux acteurs, et une plus petite, face au public — représentent respectivement le Soleil et la Lune.

Un roulement de tambours annonce la fin du « grand déluge » et le début du « nouvel âge ». Le spectacle commence — sans décor —, la vie émerge de l'inconnu. L'argument, tiré des grands chefs-d'œuvre de la littérature sanskrite *(Mahabharata, Gita-Govinda),* est exposé par un ensemble de gestes et de danses, dont le rythme transforme l'acteur-danseur en un être venu d'un autre monde, d'un univers peuplé de rois, de dieux, de démons et d'animaux fabuleux. Le grimage fantastique, si compliqué qu'il peut demander jusqu'à six heures de travail, est un élément essentiel de cette dépersonnalisation de l'homme, qui devient un personnage surnaturel et merveilleux, non pas irréel, mais extra-réel.

Spectacle lent, qui se donne habituellement le soir et se prolonge parfois jusqu'à l'aube. C'est une des grandes attractions des nuits douces de Cochin, sur la côte de Malabar, rivage légendaire où les vaisseaux du roi Salomon venaient chercher le bois avec lequel fut construit le temple de Jérusalem. Située sur la route des épices, où Arabes, Chinois, Portugais, Hollandais et Anglais laissèrent la marque de leur passage, Cochin a gardé les traces de cet héritage complexe.

La vieille ville est jalonnée de monuments. Dutch Palace (« Palais hollandais »), en réalité

▲
Élevés au XVIIe siècle, les gopurams *qui dominent le temple de Minakshi dressent dans le ciel de Madurai la luxuriance baroque de leurs tours surchargées de personnages et d'ornements.*
Phot. A. Thomas

▲
Comme la plupart des habitants de l'État d'Andhra Pradesh, cette jeune femme parée de lourds bijoux d'argent parle le télougou, une des langues dravidiennes propres au sud de l'Inde et au nord de Ceylan.
Phot. C. Lénars

▶
Une restauration récente a rendu ses couleurs d'origine à la foisonnante imagerie des tours-porches de Madurai.
Phot. C. Lénars

construit par les Portugais au XVIᵉ siècle et remanié un siècle plus tard par les Hollandais, contient de magnifiques peintures murales, retraçant les scènes du *Ramayana*, la grande épopée hindoue. Une synagogue de la fin du XVIᵉ siècle, au sol carrelé de faïence bleue venue de Canton, accueille toujours les dévotions de quelques dizaines de familles juives, et l'église Saint-François conserve une plaque indiquant l'endroit où Vasco de Gama fut inhumé en 1524 (sa dépouille fut ramenée au Portugal en 1538). Charme de ces quartiers aux maisons couleur pastel, aux églises baroques peintes en blanc souligné de bleu, émergeant d'un univers tropical. Paysage de cocotiers poussant au bord de la lagune, où les filets de pêche chinois, semblables à d'immenses libellules, se balancent, suspendus à leurs mâts, à l'entrée du port.

Cochin est formée d'une série de petites îles, séparées par des bras de mer. Plusieurs bourgades entourent le port, où s'entassent des monceaux de fibre de coco (matière première d'une industrie prospère, produisant cordes et tapis), de caoutchouc, de poivre et de piments à l'odeur persistante, prêts à être expédiés.

Si Cochin est le port le plus important du Kerala, Trivandrum est la capitale de l'État, le plus petit de l'Inde et celui où la population est le plus dense. Variété infinie de cette région : la montagne est proche ; la route grimpe très vite parmi les plantations d'arbres à thé, de poivriers et d'hévéas, et mène au lac Periyar, cœur d'une réserve d'animaux sauvages. À la tombée du jour, des troupeaux d'éléphants, de daims, de buffles, parfois un tigre ou une panthère viennent s'abreuver sur les rives du lac.

Dans le petit paradis tropical du Kerala, ponctué par les touffes de cocotiers dont les têtes se dressent au-dessus des maisons basses

◄
Les acteurs, tous masculins, du kathakali, sorte d'opéra populaire du Kerala, ne sont pas masqués, mais leur maquillage symbolique est tellement poussé que leur visage, sous le grand casque à auréole, devient absolument méconnaissable.
Phot. C. Lénars

▲
Au bord des canaux qui sillonnent la jungle aquatique
du Kerala, des maisons basses au toit de palmes
s'abritent sous des touffes de cocotiers.
Phot. Errath-Explorer

à ce point final qu'est le cap Comorin (Tamil Nadu). Les Indiens appellent Kanya Kumari (cap de la Déesse) la pointe extrême de l'Inde, où les eaux de l'océan Indien, à la limite de la mer d'Oman et du golfe de Mannar (qui sépare l'Inde de Ceylan), forment d'énormes vagues que les pirogues affrontent courageusement. Ce bout du monde est terre sacrée : il porte un temple où les hindous viennent en pèlerinage.

Des îles de coraux : les Laquedives

De toutes petites îles, presque inconnues : les Laquedives. Un nom qui signifie « Cent Mille Îles », mais elles ne sont, en réalité, qu'une quinzaine. Îles de coraux éparpillées dans la mer d'Oman, entre 192 et 320 km au large de la côte de Malabar. Quelques-unes sont habitées depuis des siècles (Amindivi, Agatti, Androth, Kavaratti où réside le représentant du gouvernement central), d'autres sont désertes. Îles miniatures, s'élevant à peine au-dessus des flots. Touffes de cocotiers émergeant de l'océan, lagons où évoluent des nuées de poissons multicolores, plages vierges de sable blanc en pente douce, se prolongeant très loin dans la mer.

À Bangaram, formée de trois îlots, les îliens du voisinage viennent pêcher la tortue de mer et faire provision du bois qui leur sert à construire leurs bateaux.

Pitti, île nue, sans un brin d'herbe, sans la moindre touffe de végétation, peuplée d'oiseaux de mer, est maintenant une réserve protégée.

Goa, un petit monde en marge

Ancienne colonie portugaise, le territoire de Goa maintient, au sein de l'Union indienne, ses traditions, sa langue et son originalité. Sa longue histoire, avant la colonisation, ne se distingue guère de celle des régions voisines, avec les points forts des invasions aryennes, aux temps anciens, et de la lutte contre les musulmans au Moyen Âge. C'est grâce à ces derniers que le conquistador Albuquerque put, en 1510, mettre la main sur la région : lassé de guerroyer contre les musulmans, le roi hindou de Vijayanagar avait confié au Portugais la tâche de les repousser. Celui-ci s'empara de la ville de Panjim (Panaji), ainsi que des îles voisines, et fonda Goa, qui devint le cœur de l'empire portugais des Indes. Cet empire s'écroula au XVIIe siècle, laissant Goa (avec Daman et Diu) isolée au bord de l'immense continent indien.

La première capitale construite par les Portugais, connue sous le nom de Velha Goa (« Goa la vieille »), est maintenant une ville morte, que la végétation envahit peu à peu. Après deux siècles brillants (on disait alors : « Qui a vu Goa n'a pas besoin de voir Lisbonne »), la malaria eut raison de ses habitants, qui l'abandonnèrent au milieu du XVIIIe siècle. Ils allèrent, à 10 km de là, édifier Nova Goa, l'actuelle Panaji.

L'importance de Goa dans la civilisation lusitanienne est sans commune mesure avec sa surface territoriale. Jusqu'à son rattachement à l'Inde (1961), elle fut l'une des grandes réussites du colonialisme portugais, tant sur le plan économique qu'au point de vue culturel et social.

L'absence de racisme chez les colonisateurs a donné naissance à une forte population de

au toit de palmes, l'accueil est chaleureux, amical. Alleppey s'active au long des quais où l'on décharge le riz, les noix de coco, les fruits. Des canaux s'enfoncent dans une jungle aquatique, où les arbres se rejoignent presque pour former une voûte au-dessus d'eux. Calme de ces paysages où des bateaux recouverts de paille nattée, à la mode chinoise, avancent sans bruit, poussés par la longue perche du batelier ; gestes lents, poésie extrême de cet univers somptueux, où la végétation s'unit à l'eau qui la réfléchit pour former un cadre d'une irréelle beauté.

Quilon, un des plus anciens ports de la côte de Malabar — les Chinois y établirent des comptoirs dès le VIIe siècle —, garde l'atmosphère alanguie d'une ville au passé florissant. C'est le point de départ de promenades en bateau sur les *backwaters*, ces voies d'eau qui serpentent à l'intérieur des terres, parmi les rizières et les bouquets de cocotiers. La côte de Malabar se termine au sud de la péninsule,

▲
Belur : la finesse de grain et la plasticité de la stéatite ont permis aux sculpteurs de doter le temple de Chennakeshava de tout un peuple de statues qui sont parmi les plus belles de l'Inde (XIIe s.).
Phot. A. Thomas

▲
Cet animal colossal, taillé dans un seul bloc de granite, est le taureau Nandi, monture traditionnelle du dieu Çiva ; il domine Mysore du haut d'une colline.
Phot. Michaud-Rapho

▶
Contemporain du bouddhisme, le jaïnisme représente ses tirthakaras (sortes de saints) entièrement nus, symbole du détachement de toute chose, et les membres enlacés par la végétation, pour rappeler qu'ils faisaient pénitence en restant immobiles. (Sanctuaire jaïn de Sravanabelgola.)
Phot. C. Lénars

Mumbai en l'honneur de leur déesse Mumba-devi. Les Portugais s'y installèrent au XVIᵉ siècle et, en 1661, les îles constituèrent une partie de la dot de l'infante de Portugal, Catherine de Bragance, lorsqu'elle épousa le roi Charles II d'Angleterre.

Symbole de Bombay, la « porte de l'Inde » est un arc de triomphe massif, édifié face à la mer pour commémorer la visite, en 1911, du roi George V et de la reine Mary. Beaucoup de monuments datent d'ailleurs de cette époque. L'influence victorienne, mêlée à des réminiscences d'architecture musulmane et hindoue, a presque créé un style dont le produit le plus étonnant est probablement la gare Victoria, construite comme une cathédrale destinée à accueillir sous ses voûtes une foule déferlante.

Diversité infinie de cette ville où tout existe, depuis le quartier élégant de Malabar Hill, avec ses jardins suspendus dominant la baie qui s'incurve à ses pieds, jusqu'aux marchés les plus populeux, les plus surprenants. Voici le Chor Bazar, « marché aux voleurs » dont les petites boutiques sont installées dans de très vieilles maisons : il faut souvent grimper au premier étage par un escalier étroit pour découvrir l'objet rare au milieu d'un bric-à-brac invraisemblable. Voilà Crawford Market, où, dès le petit matin, des monceaux de fruits, de légumes et d'épices créent une trilogie indissociable d'odeurs, de couleurs et de bruits, grâce aux cris perçants des perroquets emprisonnés

mesticos (métis), mais l'influence portugaise a également touché les Indiens de pure race, quelle que soit leur religion. Par l'intermédiaire des jésuites, l'Église a assuré leur éducation : école primaire, secondaire et même université (Goa fut dotée, en 1842, de la première école de médecine indienne). Avec moins de bonheur, l'Église s'attribua aussi un droit de regard sur les mœurs et les croyances des Goanais. Jusqu'en 1814, l'Inquisition, qui possédait ses tribunaux et ses prisons, régna depuis son palais de Velha Goa, mais elle ne réussit pas à ternir l'image rayonnante de saint François Xavier, l'apôtre des Indes, dont la dépouille momifiée repose encore dans la basilique du Bom Jesus, ni à détourner du catholicisme les descendants des chrétiens qui ont construit les nombreux édifices religieux qui s'élèvent sur le territoire.

Les Goanais ont cultivé l'art sous toutes ses formes. La musique tient encore une place importante. L'architecture et la sculpture font apparaître une influence réciproque des différents courants religieux : l'ornementation du temple çivaïste de Sri Mangesh, près de Ponda, est très proche du baroque portugais, et la statue de bois du séminaire catholique de Rochol est nettement inspirée de la plastique gréco-bouddhique.

Sous l'égide du vice-roi et des colons portugais, l'économie se développa également d'une façon harmonieuse, grâce à un climat favorable et à un système d'irrigation efficace.

Rattachés à l'Union indienne, les Goanais, très conscients de leur originalité, ont massivement refusé, en 1967, de s'intégrer à l'État voisin de Maharashtra. Ils forment une communauté relativement riche et bien organisée, dont le mode de vie et la culture sont encore très méditerranéens, ce qui ne laisse pas de surprendre le visiteur européen. Ils s'appliquent à équilibrer l'économie du territoire en développant l'industrie (chantiers navals, industrie chimique) et le tourisme, favorisé par les belles plages de sable blanc. Mais ils sont obligés de compenser l'insuffisance de l'espace dont ils disposent par une émigration dans l'Inde entière, à laquelle ils fournissent beaucoup de cadres de la fonction publique.

Cette population complexe, formée de chrétiens, de musulmans, d'hindous et même d'animistes, se distingue par la tolérance et l'harmonie des rapports humains. Les grandes fêtes de chaque communauté religieuse attirent l'ensemble des habitants, et tous partagent le même langage — le konkani —, qu'ils refusent d'abandonner au profit d'une langue véhiculaire comme le hindi ou le marathi.

Jusqu'à quand cette enclave gardera-t-elle son identité ? Pendant combien de temps ce petit peuple original et entreprenant, qui semble avoir réussi à bâtir une communauté équilibrée et heureuse, pourra-t-il se maintenir ?

Bombay,
capitale de l'Ouest

Bombay : une baie parfaite, largement ouverte sur la mer d'Oman, et des immeubles modernes, dignes d'une grande cité du XXᵉ siècle. Deuxième ville de l'Inde (après Calcutta), rivale de Delhi, Bombay est un grand port doublé d'une métropole commerciale et industrielle (une usine à plutonium fonctionne depuis 1965). C'est aussi un point de rencontres artistiques, où se déroulent des festivals de danse, de musique et d'art dramatique.

Bombay, qui a aujourd'hui près de 8 millions d'habitants, a presque oublié le temps où elle n'était qu'un groupe de sept îles, habité par des pêcheurs qui lui avaient donné le nom de

▲
Les grottes d'Ajanta, ornées de sculptures et de fresques, furent creusées dans le rocher par les moines des communautés bouddhiques qui, durant dix siècles, à partir du IIᵉ siècle av. J.-C., se succédèrent, à plus ou moins longs intervalles, dans ce site isolé.
Phot. Nou-Explorer

▲
Fragiles chefs-d'œuvre de l'art bouddhique, les peintures pleines de vie qui ornent les parois des grottes d'Ajanta furent exécutées à l'époque Gupta par des artistes itinérants, travaillant en équipe.
Phot. C. Lénars

▲
S'ouvrant au flanc d'une colline abrupte, dans une gorge sauvage, les temples et les monastères rupestres d'Ajanta sombrèrent dans l'oubli durant plus de mille ans et ne furent redécouverts, tout à fait par hasard, qu'au début du XIXᵉ siècle.
Phot. Loïc-Fotogram

milliers de statues de toutes tailles, de toutes formes, de toutes couleurs, naïves, bariolées, baroques, touchantes. Une foule mouvante, ondulante, porte avec dévotion les petites figurines jusqu'au rivage, tandis que les grandes statues, hautes de plusieurs mètres, sont placées sur des chars ou des voitures et conduites jusqu'à la mer en grande pompe, au son des cymbales et des tambours.

L'île d'Elephanta est à une heure de bateau de Bombay. Au VIᵉ et au VIIᵉ siècle, sa masse rocheuse a été creusée, sculptée pour créer un ensemble unique de temples rupestres, dédié à Çiva. Dans la pénombre de la grotte principale, au fond de la cavité soutenue par des piliers énormes, le dieu apparaît avec trois visages, impressionnant, étrange. Cette immense sculpture, haute de près de 6 m, le représente sous son triple aspect de dieu de la Création, de la Conservation et de la Destruction du monde. Le visage central est grave, avec une expression impénétrable. Tous les grands thèmes de l'hindouisme sont réunis sur de vastes panneaux sculptés : descente du Gange sur la terre, comme à Mahabalipuram ; mariage de Çiva et de Parvati ; Çiva affirmant la victoire de la connaissance sur l'ignorance en combattant Andhaka, le démon des Ténèbres.

Dans les collines accidentées du Maharashtra, à près de 400 km de Bombay, se cachent Ellora et Ajanta, où se trouvent les expressions les plus riches de l'art indien. À Ellora, une trentaine de temples bouddhiques, brahmaniques et jaïns sont creusés à vif dans le roc avec leurs chapelles, leurs colonnes et leurs autels, et couverts de splendides bas-reliefs. Ajanta nous ouvre le monde merveilleux des fresques, dont les couleurs sont parvenues jusqu'à nous avec leur délicate beauté. Ces peintures, exécutées du Vᵉ au VIIᵉ siècle, ornent les parois des grottes artificielles, creusées à deux périodes — IIᵉ et Iᵉʳ siècle av. J.-C., puis Vᵉ et VIᵉ siècle de notre ère —, qui abritaient trente temples et monastères bouddhiques ■   Suzanne HELD

dans des échafaudages de cages : imaginez une halle où les ventes à la criée se passeraient dans une volière !

Le soir venu, marchands ambulants, porteurs d'eau, vendeurs de ballons, magiciens et acrobates s'installent sur la plage de Chowpatty. C'est la promenade où, surtout le dimanche, la foule venue de tous les quartiers de cette ville immense se presse à la tombée du jour pour savourer l'instant où le soleil disparaît dans l'océan, tandis que les lumières de Marine Drive s'allument pour former le scintillant « collier de la Reine » qui encercle la baie.

Un souffle épique s'empare de Bombay lors de la fête de Ganeça Chaturthi, célébrant la naissance du dieu à tête d'éléphant, maître des présages favorables et de la chance. Toute la ville vibre à l'unisson, et c'est un peuple entier qui se met en marche vers la plage afin d'immerger dans les flots les effigies du dieu : des

▲

Les temples d'Ellora n'ont pas été bâtis pierre par pierre : ce sont des monolithes dont les salles, les colonnes, les statues et toute l'ornementation ont été découpées d'un seul bloc dans le rocher.
Phot. Corbineau-Top

▶

Au large de Bombay, la grotte principale du sanctuaire rupestre de l'île d'Elephanta recèle, dans une « chapelle » obscure gardée par des géants de pierre, le lingam, symbole de la fécondité du dieu Çiva.
Phot. C. Lénars

l'Inde de l'Himalaya

Le Cachemire
et ses maisons flottantes

À l'ouest de l'imposante chaîne himalayenne, qui domine de toute sa masse la plaine indienne, le Cachemire, province de l'État indien de Jammu-et-Cachemire, est formé par la haute vallée de la Jhelum. En pleins contreforts de l'Himalaya, la rivière s'étale en une succession de lacs, créant une sorte de bassin de haute montagne (altitude moyenne : 1 700 m), étiré sur 130 km avec une largeur dépassant parfois 50 km. Sa température estivale de 20 à 25 ⁰C, contrastant avec celle, torride, des plaines de l'Inde à la même saison, en fait, depuis des siècles, un lieu de séjour enchanteur.

Srinagar, la capitale, est la ville des canaux. Sur les bords de la Jhelum sont amarrés des bateaux sur lesquels vivent des familles entières. Les femmes battent le linge, préparent les aliments, puisent de l'eau directement dans la rivière en passant le bras par la fenêtre de l'embarcation. Sur la rive, le bruit des métiers à tisser parvient des maisons de bois décoré, aux pignons et aux moucharabiehs finement sculptés. Des piments rouges sèchent aux fenêtres.

La Jhelum, dont neuf ponts enjambent les méandres, des lacs et un réseau de canaux découpent la ville en quartiers. Dans les ruelles, les échoppes se succèdent : ici, celles des tailleurs, accroupis devant leur machine à coudre actionnée à la main ; là, celles des bouchers ; ailleurs, celles des grainetiers ou des fourreurs. Les femmes portent encore la *burqa*,

Histoire
Quelques repères

IIIᵉ s. av. J.-C. : des missionnaires bouddhistes, envoyés par l'empereur Açoka, fondent Srinagar.
Jusqu'au XIVᵉ s. : l'isolement du Cachemire le met à l'abri de l'invasion musulmane.
1338 : le pays devient un sultanat musulman.
XVᵉ-XVIᵉ s. : les empereurs moghols font du Cachemire une de leurs résidences préférées.
1752 : les Afghans occupent le Cachemire.
1819 : les sikhs de Lahore chassent les Afghans.
1834-1841 : annexion du Ladakh.
1846 : le Cachemire passe sous la suzeraineté de l'Angleterre.
1947 : départ des Anglais. Le Cachemire (à majorité musulmane) est réclamé par le Pakistan, mais son maharaja opte pour l'Inde.
1ᵉʳ janvier 1949 : après le conflit Inde-Pakistan, une ligne de cessez-le-feu est placée sous le contrôle de l'O. N. U.
1957 : rattachement de fait du Cachemire à l'Inde, mais le Pakistan déclare que le statu quo n'est pas définitif.
1958-1959-1962 : la Chine envahit une partie du Ladakh.
1974 : le Ladakh s'ouvre aux étrangers.

▲
Trait d'union entre le vert Cachemire et les rocailleuses solitudes du Ladakh, la vallée du Sindh offre ses versants boisés aux amateurs d'excursions.
Phot. C. Lénars

vallée heureuse, au climat idéal, mais le gouvernement du maharaja interdisait aux étrangers de construire ou d'acquérir une construction : on inventa donc le bateau-maison. Invention géniale, qui allait faire le charme de la vie à Srinagar et son originalité.

Ces longues embarcations à l'ambiance très *british* comprennent salon-living, salle à manger et plusieurs chambres à coucher en enfilade. Les repas sont préparés dans le bateau-cuisine, amarré à côté du *house-boat*. Une atmosphère très particulière règne dans ces demeures flottantes, aux plafonds de marqueterie, aux meubles anglais, aux tables jonchées de pétales de fleurs à l'heure des repas. Et puis, il y a le lac. Par les fenêtres coulissantes largement ouvertes, on admire la beauté tranquille du cadre de montagnes, on écoute le clapotis de l'eau à peine effleurée par le passage d'une *shikara*, la mélopée du marchand de fleurs qui annonce son passage, les cris joyeux des enfants qui plongent.

Une vie intense anime le lac, constamment sillonné par les *shikaras*. Gondoles de cette Venise asiatique, ce sont des barques effilées, parfois surmontées d'un dais garni de rideaux fleuris. Allongé sur des coussins, conduit par un batelier manœuvrant une pagaie en forme de cœur, on vogue sur des eaux que recouvrent de fines plantes aquatiques. En juillet, l'éclosion des lotus aux fleurs roses apporte une note très douce. Les embarcations se faufilent à travers les jardins flottants, portés par un radeau de roseaux entrelacés amarré à des pieux plantés au fond du lac. Jardins éphémères, qui sombrent peu à peu (leur vie se limite à une dizaine d'années), dont les tomates, les potirons et les fleurs font l'objet de soins attentifs.

À peine un nouvel arrivant a-t-il pris possession de son *house-boat* que la nouvelle se répand comme une traînée de poudre. Aussitôt se déclenche le ballet des *shikaras* de tous les petits commerçants, qui débute toujours par le merveilleux prélude du marchand de fleurs, dont le bateau disparaît sous les dahlias et les glaïeuls. Vient ensuite le fourreur, qui sort d'un coffre peaux de loup, de renard et de lynx, puis le vendeur de nappes brodées et le marchand de châles faits des fameuses laines du Cachemire à la douceur extraordinaire (la meilleure qualité, très chère, très rare, soyeuse, impal-

sorte de voile qui les recouvre entièrement, tête comprise : au niveau des yeux, une broderie ajourée permet au regard de filtrer.

Qu'est-ce qu'un *house-boat* ? Une maison flottante, un bateau amarré au bord de la rivière ou d'un des lacs. Les Britanniques en poste aux Indes avec leur famille cherchaient à fuir la chaleur moite de l'été. Ils découvrirent cette

▲
Surnommé « Petit Tibet », le Ladakh est un des pays les plus élevés du monde, et ses habitants, pour résister aux rigueurs du climat, sont obligés de se couvrir chaudement.
Phot. C. Lénars

pable, est faite avec une sorte de duvet produit par les chèvres himalayennes).

Avant l'arrivée des Anglais, le Cachemire était déjà l'un des lieux de séjour favoris des empereurs moghols, qui aménagèrent sur les berges des lacs des jardins enchanteurs. Au XVIᵉ siècle, Akbar (qui construisit le Fort Rouge d'Agra et la fabuleuse capitale de Fatehpur Sikri) créa Nasim Bagh, le jardin de la Brise du matin. Son fils, Jahangir, imagina pour son

◄
Sur les lacs et les canaux de Srinagar, capitale du Cachemire, les commerçants se déplacent en shikara, et c'est sur une de ces barques légères que cette fleuriste fait la tournée de sa clientèle.
Phot. S. Held

épouse, Nur Jahan, le fameux jardin de Shalimar (jardin de l'Amour), où, parmi les fleurs,
se dressent des pavillons de marbre, agré-
mentés de terrasses et de cascades descendant
vers le lac.

Le charme de la « Vallée heureuse » est resté
le même. Son secret réside dans le sentiment
d'harmonie que l'on éprouve au bord d'un lac
dont les eaux calmes reflètent les sommets de
la démesure, ceux de l'Himalaya.

Un « Petit Tibet »,
le Ladakh

Pointe occidentale du Tibet, entre la Chine
et le Pakistan, l'ancien royaume du Ladakh fait
partie du Cachemire depuis le milieu du XIXᵉ siècle, mais sa situation l'apparente davantage aux
hauts plateaux tibétains qu'à l'Inde.

▲
*Une imposante forteresse, le Hari Parbhat, domine
Srinagar, « Venise orientale » dont une partie de la
population vit dans des embarcations amarrées aux
rives de la Jhelum.*
Phot. S. Held

Région de haute altitude, isolée une partie de
l'année dans le silence de l'Himalaya, le
Ladakh est l'un des rares endroits du monde où
des hommes vivent à plus de 4 000 m. Il est
formé d'une succession de hauts plateaux et de
vallées profondes, dont celle de l'Indus, qui le
traverse en son milieu. L'altitude moyenne des
chaînes de montagnes qui l'entourent est de
6 000 m. Au nord, la chaîne du Karakoram
culmine à 8 611 m, avec le célèbre K2 (ou

Godwin Austen), l'un des géants du monde.

La seule voie permettant actuellement d'atteindre le Ladakh vient du Cachemire. De Srinagar, il faut deux jours pour couvrir, en voiture, les quatre cents et quelques kilomètres qui vous séparent de Leh : la route, une des plus hautes du monde, tout en lacet, franchit trois cols à plus de 4 000 m d'altitude. La progression est encore ralentie par la présence de convois militaires : de 40 à 60 camions à la file, qu'il faut doubler en sauts de puce ou, plus simplement, laisser passer en s'arrêtant.

C'est que le Ladakh a été l'objet d'incursions chinoises à plusieurs reprises. En 1958-1959 et en 1962, la Chine, après avoir annexé le Tibet, envahit aussi une partie du Ladakh. En 1965, les troupes chinoises franchirent même le col de Fatula et arrivèrent tout près de Kargil. Depuis, elles se sont retirées plus au nord, mais le Ladakh est resté sous contrôle militaire. D'autre part, la ligne de cessez-le-feu imposée par l'O. N. U. entre le Pakistan et l'Inde n'est pas loin. Les positions sont bloquées, mais les armées indienne et pakistanaise continuent

à s'observer de part et d'autre de cette ligne. L'Inde considère le Cachemire (auquel le Ladakh est rattaché) comme partie intégrante de son territoire, alors que le Pakistan déclare que ce statu quo n'est pas définitif tant qu'un plébiscite n'aura pas eu lieu. Ces deux facteurs — difficulté d'accès due à l'altitude des cols à franchir et situation politique — ont fait que le Ladakh ne s'est ouvert au monde extérieur qu'en 1974. On y découvrit alors des monastères tibétains aux richesses insoupçonnées, des villages aux coutumes intactes et une ville du bout du monde : Leh.

Dans un désert de montagnes, au cœur du haut Indus, à 3 600 m d'altitude, Leh est une capitale de 8 000 habitants, traversée par une rue unique. Cette rue vient buter sur un piton rocheux, sur lequel se dresse l'ancien Palais royal, forteresse de neuf étages, dominée par un monastère encore plus haut perché. Des maisons aux toits en terrasses, serrées les unes contre les autres, et des boutiques ouvrant directement sur la rue, où se presse la foule des Ladakhis en vêtements rehaussés de bleu turquoise et de rose vif, composent un ensemble qui donne l'impression de vivre à une autre époque, dans un univers différent, où tout ce qui nous paraît naturel, acquis, aurait disparu.

Les hommes portent le costume tibétain : *chuba* (longue robe confectionnée dans une laine rugueuse) rouge sombre, chapeau en velours (parfois en soie) de forme cylindrique, doté de deux cornes qui se relèvent de chaque

▲
Précieuse coiffure de cérémonie des femmes ladakhis, le perak, qui descend dans le dos jusqu'aux reins, est littéralement constellé de turquoises et constitue la dot des jeunes mariées.
Phot. Shelley-Rapho

▶
Peuplés de lamas plus ou moins nombreux, les monastères du Ladakh comprennent plusieurs bâtiments et sont généralement édifiés, comme celui de Lamayuru, dans des sites isolés, d'une farouche grandeur.
Phot. J. Bottin

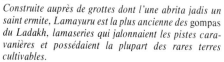
▲
Construite auprès de grottes dont l'une abrita jadis un saint ermite, Lamayuru est la plus ancienne des gompas du Ladakh, lamaseries qui jalonnaient les pistes caravanières et possédaient la plupart des rares terres cultivables.
Phot. S. Held

côté du visage, et bottes de feutre, à semelle en cuir de yak, retroussées du bout, le tout de fabrication artisanale. Quant aux femmes, leur coiffure constitue une véritable fortune : un morceau de feutre, couvrant le dessus de la tête et se prolongeant dans le dos jusqu'à la taille, est entièrement garni de turquoises et autres pierres précieuses en rangs serrés, parmi lesquelles s'intercalent parfois de petites boîtes d'argent, elles aussi décorées de pierreries. Colliers de corail et bracelets taillés dans la nacre de conques marines complètent la parure. Les jours de fête, un châle de soie remplace la peau de chèvre à longs poils dont les femmes se protègent habituellement les épaules pour porter leurs lourdes charges.

Bouddhas et lamas

Le Ladakh est un des rares endroits où le bouddhisme tibétain est encore pratiqué sous sa forme la plus pure. Monde de *gompas* (lamaseries) à l'architecture dépouillée, où les différents corps de bâtiments forment des plans successifs, étagés, soulignés par des fenêtres cernées de noir.

Au sommet d'une colline, Thiksay, dévoré par le soleil, balayé par le vent, fait penser au Potala de Lhassa. À l'intérieur, plusieurs sanctuaires abritent les statues des multiples dieux du panthéon lamaïque. (Le lamaïsme — forme tibétaine du bouddhisme — possède cinq divinités fondamentales, les cinq dhyani-bouddhas, accompagnées de leur cinq dhyani-bodhisattva, dont la tâche est d'aider l'humanité à se libérer pour atteindre le *nirvana* ; viennent ensuite mille bouddhas, des divinités locales et une foule immense de démons.) Les murs sont couverts de peintures que l'on distingue à peine dans le demi-jour ; certaines d'entre elles, représentant les symboles les plus ésotériques du bouddhisme tibétain, forment un fantastique rébus mystique, dont la compréhension est réservée aux seuls initiés.

Le toit plat du monastère de Thiksay forme une large terrasse, jalonnée de cylindres en laiton doré. La vue est d'une calme beauté :

◄
Ces trompes géantes chassent les mauvais esprits et appellent à la prière les lamas du Ladakh, qui pratiquent le bouddhisme de rite tibétain.
Phot. C. Lénars

▲
*La lamaserie de Thiksay, dont les cinq temples sont
ornés de magnifiques fresques, évoque, avec ses hauts
murs, son architecture étagée et ses toits en terrasses,
le célèbre Potala de Lhassa.*
Phot. Weisbecker-Explorer

l'Indus coule dans la vallée où il s'est frayé un passage, au pied de l'Himalaya. Grâce à lui, des taches vert tendre de végétation — champs d'orge ou de luzerne — émaillent un univers ocre de montagnes nues.

Tous les soirs, à 4 heures, retentit le son grave des conques marines dans lesquelles de jeunes lamas soufflent pour inviter moines et moinillons à se rendre à l'office. Dans la pénombre du sanctuaire, on psalmodie les *mantras* (formules rituelles). Par moments, de profonds coups de trompe, le tonnerre des gongs et le fracas des cymbales créent, par leur puissance, une sorte de solennité propre à favoriser la contemplation intérieure et à provoquer l'état de conscience nécessaire pour susciter les visions sacrées.

Pendant les cérémonies, du thé, auquel on a mélangé du beurre de yak et une pincée de sel, est servi à différentes reprises à tous les moines. La mince flamme des lampes à beurre posées sur l'autel éclaire les statues et fait briller les ors de toutes les bannières qui pendent du plafond.

Une soixantaine de lamas vivent à Thiksay ; leur temps se partage entre les pratiques quoti-

▲

Funérailles au Sikkim, où la plupart des lamas appartiennent à la secte des Bonnets rouges, une des deux grandes branches du lamaïsme tibétain.
Phot. Silverstone-Magnum

diennes, les cérémonies, les méditations et les différentes occupations nécessaires à la vie de la communauté, pouvant aller des travaux des champs aux études médicales ou à l'astrologie.

La richesse des monastères

En venant de Srinagar, le premier monastère que l'on atteint est Lamayuru, dans un paysage lunaire. Après avoir franchi le col le plus élevé, celui de Fatula, à 4 093 m, la route descend en lacet vers la vallée de l'Indus, et l'on aperçoit tout à coup, se distinguant à peine de la roche, quelques maisons dominées par une sorte de pyramide tronquée, accrochée à cet univers minéral. Lamayuru est le plus ancien monastère du Ladakh. Parmi ses multiples statues de déités en bois polychrome, l'une représente Avalokiteçvara, un des principaux bodhisattva, doté de onze têtes et d'une foison de bras, avec, au milieu de chacune des paumes, un œil secourable posé sur la souffrance du monde. La bibliothèque contient de très rares manuscrits juridiques et religieux.

Si Lamayuru est le premier en date, Hemis est le plus riche, le plus puissant des monastères du Ladakh. Fondé vers 1605, il compte actuellement 80 lamas, appartenant à la secte des Bonnets rouges (depuis la réforme de Tsong Kapa, au début du XVᵉ siècle, la secte des Bonnets jaunes professe un bouddhisme très pur, débarrassé de ses pratiques magiques, alors que celle des Bonnets rouges englobe toutes les écoles non réformées).

De longs « murs de *Mani* » annoncent le monastère. Ce sont des amoncellements de cailloux bien alignés, formant des murets au sommet desquels sont posées des pierres plates. Sur ces pierres figurent des *mantras*, le plus souvent en caractères tibétains. Qu'elle soit gravée dans la pierre ou dans le métal des moulins à prières, la formule est toujours la même : composée des six syllabes sacrées — *Om Mani Padmé Hum* —, elle est répétée inlassablement. (Cette invocation, difficilement traduisible, dont un mot signifie « joyau » et un autre « lotus », évoque à la fois les notions de sacré, de pureté, de renoncement et de soif spirituelle.)

De très belles *tankas* (bannières peintes) encadrées de soie sont réparties dans les différents sanctuaires et chambres monastiques. Sur les autels, on admire des reliquaires en argent repoussé, à côté des coupes de riz où est délicatement posé un fruit ou une fleur, symbolisant respectivement la beauté et la gratitude. Parmi les offrandes, l'encens se consume lentement.

Le très jeune abbé qui est à la tête de la communauté passe pour être la douzième réincarnation de Drugpa Rimpoche Tsopema. Avec ses murs blanchis à la chaux et ses fenêtres garnies de bois sculpté, le monastère d'Hemis forme un parfait décor pour les cérémonies qui se déroulent dans la grande cour où, comme dans toutes les lamaseries, se dressent les immenses mâts auxquels sont fixés les drapeaux de prières couverts de formules incantatoires.

Sur la rive gauche de l'Indus, Alchi est caché au fond d'une vallée qu'aucune route n'atteint encore. On approche du monastère à travers champs, par un sentier coupé de frais ruisseaux. Quelques maisons de paysans — où, à l'époque de la cueillette des fruits, les abricots sèchent au soleil sur les toits plats — ponctuent le paysage.

La *gompa* d'Alchi est composée de cinq sanctuaires, dont les murs de pisé, dangereusement lézardés, n'ont rien de commun avec les autres monastères, à l'architecture presque géométrique. Les portes des bâtiments sont souvent si basses qu'il faut se courber pour les franchir. Dans la pénombre, on distingue des murs couverts de magnifiques peintures exécutées entre le XIᵉ et le XVIIᵉ siècle. On y admire des *mandalas* (schémas de l'univers selon la cosmogonie indienne) incrustés de pierreries, des *Apsaras* (déesses) à la grâce infinie, de multiples autels au maniérisme exubérant. La composition de l'un des plus anciens de ces autels est d'une harmonie parfaite : une déesse centrale, entourée de fleurs, d'animaux et de personnages, s'inscrit dans un foisonnement d'ornements symboliques.

Le raffinement des artistes est perceptible dans les moindres détails : une peinture murale,

montrant une divinité assise sur un cygne stylisé, est très proche des œuvres de l'école du Cachemire par l'élégance de la pose, la grâce des gestes, la sensualité du corps à la taille fine et aux seins gonflés. On ne peut oublier que l'ancienne route des caravanes partait de Srinagar, franchissait le fameux col du Zoji, rejoignait Leh, puis empruntait les vallées de l'Indus et du Brahmapoutre pour atteindre Lhassa, la capitale du Tibet, favorisant ainsi les courants artistiques.

Chaque monastère a sa fête annuelle. Celle d'Hemis a lieu le 10ᵉ jour du 5ᵉ mois de l'année tibétaine, qui commence à la nouvelle lune de février. Elle donne lieu à des danses de masques, exécutées par les lamas et symbolisant le combat des forces du Bien et du Mal. Une foule d'autochtones et de pèlerins se déplace à cette occasion, dans une ambiance de liesse à laquelle concourent festins et libations. Au cours de la fête du monastère de Shey, un moine entre en transes après s'être livré à une longue méditation, assortie d'une certaine forme d'ascèse, et dévoile les pensées les plus secrètes de ceux qui l'interrogent.

Venant couper un hiver interminable et glacé, Losar, la fête du Nouvel An, est joyeusement célébrée ; les réjouissances, qui comprennent processions aux chandelles et courses de chevaux, se prolongent durant trois jours.

Les orchidées du Sikkim

Royaume himalayen, rattaché en 1975 à l'Union indienne, dont il constitue le 22ᵉ État, le Sikkim est situé entre le Népal, le Tibet et le Bhoutan, et jouxte, au sud, le district indien de Darjeeling. Couvrant 7 300 km², il est peuplé de quelque 210 000 habitants, dont 12 000 environ vivent à Gangtok, la capitale et la seule ville digne de ce nom. C'est un pays essentiellement agricole. Dans les vallées au climat tropical poussent le riz et une multitude de fleurs (600 variétés d'orchidées) et de fruits exotiques. La forêt couvre un tiers de la superficie totale. Autour se dressent quelques-uns des sommets les plus hauts du monde : le Kanchenjunga, qui culmine à 8 598 m, est juste au-delà de la frontière du Népal.

Jusqu'à la fin du XVIIIᵉ siècle, le Sikkim fut une principauté vassale du Tibet, dont sa famille royale était originaire, et le bouddhisme du mahayana (Grand Véhicule) était religion d'État. Les bouddhistes du Sikkim appartiennent en majorité à la secte des Bonnets rouges. De nombreux monastères sont encore en activité, pour la plupart dans des endroits isolés. Parmi les plus anciens, on peut citer ceux de Pemyangtse, de Sinon et de Namchi, qui contiennent des fresques et des sculptures du XVIIᵉ et du XVIIIᵉ siècle, et celui de Lachung (XVIIIᵉ-XIXᵉ s.). Le monastère de Ramtek, très imposant, a été reconstruit récemment. Dans tous, la ferveur intense des lamas de la secte des Bonnets rouges donne un attrait particulier aux cérémonies religieuses ■ Suzanne HELD

◄ *Ladakh : la gompa de Thiksay possède une importante collection de manuscrits ésotériques, conservés entre deux planches dans un emballage de soie.*
Phot. C. Lénars

▲ *Chaque année, à la fin du mois de juin, la grande cour du monastère d'Hemis est gaiement pavoisée pour la fête de Tis-chu, dont les cérémonies durent trois jours.*
Phot. C. Lénars

▶ *Alternativement calcinés par le soleil et balayés par des vents glacés, les paysages désertiques du Ladakh recèlent parfois une gompa abandonnée, dont les murs croulants se distinguent à peine du sol aride.*
Phot. C. Lénars

le Népal

Coincé entre deux géants, l'Inde et la Chine, le petit Népal est le plus vaste des États indépendants de l'Himalaya. Son originalité vient de sa situation géographique, qui fait de lui une sorte de lien entre les plaines de l'Inde et les montagnes de l'Asie centrale. La haute chaîne de l'Himalaya est, avec la ville de Katmandou, la partie la plus connue du Népal, en particulier des Européens depuis les grandes expéditions qui ont mené ceux-ci à la conquête pacifique de l'Annapurna (8 078 m), du Dhaula-giri (8 172 m) et de l'Everest (8 848 m).

Katmandou, ville-musée

Au centre du plateau népalais, Katmandou, la capitale, est à 1 340 m d'altitude. Tout autour, des collines, succession de terrasses où la moindre parcelle de terre est utilisée, escaliers gigantesques où les jeunes pousses de riz ou de blé plaquent des taches d'un vert acide, rendu plus agressif encore par la limpidité de l'air. En toile de fond, la chaîne de l'Himalaya, avec les plus hauts sommets du monde, Everest à l'est, Annapurna à l'ouest.

Katmandou, dont le nom signifie en newari (dialecte tibétain des Newars, autochtones népalais) « Maison de bois », est une sorte de ville-musée par la profusion de statues, de pagodes et de palais qu'elle contient. Mais n'imaginez surtout pas des monuments figés, époussetés, étiquetés, que l'on admire de loin, sans oser les approcher. Ces trésors font partie de la vie quotidienne, avec toute la ferveur — et l'irres-pect — que cela comporte. Les parvis des temples sont occupés en permanence par des femmes vendant du riz et des fleurs, que les fidèles offrent aux divinités. Un lion de pierre sert un instant d'appui à la hotte trop chargée d'un *Sherpa* (montagnard népalais). Des fagots de bois s'entassent sur les marches du temple de Çiva et de Parvati, sous les yeux du couple divin qui les contemple d'une haute fenêtre, dans la chaude harmonie des briques roses et des bois sculptés dont les rosaces symbolisent la roue de la vie. Les dieux se penchent, dans une attitude très réaliste, et semblent observer l'agitation de la place.

Les *rickshaws* (pousse-pousse tirés par une bicyclette) se faufilent à travers la foule, trans-portant une ou deux personnes abritées du soleil ou de la pluie par une capote de moleskine noire. Pour quelques roupies, on parcourt ainsi les rues de Katmandou. Des taxis tentent de se frayer un passage en évitant les vaches et les

▲
Troisième agglomération du Népal et capitale royale jusqu'au XVIIIe siècle, Bhatgaon, dominée par les sommets enneigés de l'Himalaya, passe pour la plus ancienne ville de la vallée de Katmandou.
Phot. Bouillier

sanguinolentes de buffles venant d'être sacrifiés. La fillette qui ne manifeste aucune peur,
qui ne laisse échapper aucun mouvement d'ef-
froi est choisie. Elle devient alors la Kumari, la
déesse vivante, incarnation de Kali, la divinité
par qui tout est purifié. Elle vivra dorénavant
dans son palais, où ses moindres désirs seront
exaucés. Elle sera servie, portée, elle ne tou-
chera plus à aucun objet, de peur de se blesser.
Vivant en recluse dans sa prison dorée, elle

n'en sortira qu'à l'occasion des fêtes religieuses,
où elle apparaîtra sur un char richement orné.

Pendant les fêtes de l'Indrajatra, célébrant la
fin de la mousson, la Kumari est promenée en
grande pompe dans Katmandou. Elle reçoit
l'hommage du roi du Népal et marque le front
de celui-ci du *tika* rouge, le signe protecteur.

Le rôle de l'idole vivante prend fin avec la
puberté. N'étant plus considérée comme parfaitement pure, la fillette retourne alors dans sa

chèvres qui essaient de grapiller quelques feuilles vertes aux étalages. Les enfants courent
après les touristes pour leur vendre des bijoux
de pacotille ou le *Petit Livre rouge* de Mao Tsé-
toung, édité dans toutes les langues. Le marchand de flûtes, disposées en bouquet au sommet d'un bambou, joue quelques notes, perdu
dans un rêve. Non loin de là, le coiffeur,
installé sur les marches du grand temple de
Çiva, coupe sans ménagement les cheveux de
l'homme accroupi devant lui. Tous les styles de
vie se côtoient, toutes les époques se frôlent.
Nous sommes au cœur de Katmandou, à quelques pas de la demeure où, insensible à l'agitation extérieure, vit la Kumari, la déesse vivante.

La déesse prisonnière

Un palais du XVIIIᵉ siècle à trois étages, aux
ouvertures finement sculptées, une porte gardée par des lions de pierre, puis, passé le
porche, une cour intérieure entourée de balcons
de bois magnifiquement décorés : c'est le cadre
de vie d'une enfant promue déesse.

Moyennant quelques roupies, on voit apparaître dans l'embrasure d'une fenêtre un visage
très jeune, si maquillé qu'il serait presque irréel
sans le sourire furtif esquissé par les lèvres trop
rouges. Les yeux semblent immobiles, perdus
au milieu de larges cernes noirs qui les prolongent jusqu'aux tempes. C'est la Kumari, la
vierge pure à qui bouddhistes et hindouistes
rendent hommage.

Elle est choisie, vers l'âge de cinq ans, dans
une famille newar d'orfèvres ou de forgerons.
Il est essentiel que son corps soit dépourvu de
toute tache, de la moindre cicatrice. Après
consultation des astrologues, les candidates
retenues — en général une dizaine — sont
mises à l'épreuve. On les fait entrer dans une
pièce sombre, où l'on a déposé des têtes

▲
*Familièrement penchées à une fenêtre de leur temple,
les statues en bois polychrome des deux divinités, Çiva
et son épouse Parvati, semblent observer ce qui se passe
dans les rues de Katmandou.*
Phot. S. Held

▲
*À Katmandou, temples et palais participent à la vie de
tous les jours, et les marches de leurs façades servent
souvent d'éventaire aux petits marchands ambulants.*
Phot. Carot-Fotogram

▶
*À Budhanilkanta, près de Katmandou, un colossal
Vichnou de basalte, étendu sur les anneaux d'Ananta,
le serpent à onze têtes, repose, couvert d'offrandes
lancées par les fidèles, au milieu d'un bassin (VIIIᵉ s.).*
Phot. C. Lénars

enfants jouent dans ces ruelles jonchées de détritus. Le bruit sec des métiers à tisser fait soudain découvrir, dans l'obscurité presque totale de réduits humides, l'existence d'une vie médiévale que l'on a peine à imaginer.

Le pittoresque vient souvent fausser les images trop dures qui vous assaillent à l'improviste. La beauté l'emporte toujours, estompant les spectacles gênants, anachroniques. Un porche gardé par des dragons, un passage étroit, et l'on débouche dans une cour intérieure où se dresse une pagode magnifique : Machchendranath Bahal, temple bouddhique entouré de moulins à prières. La magie opère de nouveau. C'est le monde des dieux en bronze doré, perchés sur une colonne au chapiteau épanoui en lotus, le monde des colliers de fleurs et des offrandes que l'on dépose aux pieds des statues, afin d'apaiser la fureur des redoutables divinités dont les visages terrifiants se perdent dans les volutes de l'encens. La conviction que les dieux doivent constamment être apprivoisés est toujours présente dans la vie quotidienne, et elle se manifeste avec éclat au moment des fêtes, où croyances religieuses et superstitions se mêlent étroitement.

Dans tout le Népal, la fête la plus importante et la plus populaire est celle de Dasain (ou Dashara), qui a lieu au mois de septembre. Le neuvième jour, des centaines de buffles, de chèvres et de poules sont sacrifiés en l'honneur de la déesse Durga, qui symbolise la victoire du Bien sur le Mal. Tout est marqué du sang des victimes, des voitures aux maisons en passant par les avions...

▲
En se faisant percer la cloison nasale en même temps que les lobes des oreilles, les femmes népalaises peuvent se parer d'un bijou supplémentaire.
Phot. E. Valli

famille, richement dotée. Mais il lui est difficile de se réinsérer dans la vie courante et surtout de se marier, car la croyance populaire veut que l'époux d'une ancienne Kumari meure dans les six mois qui suivent les noces.

Dans les vieux quartiers newars

Penchées aux fenêtres décorées de bois sculpté, les femmes regardent la foule se presser dans la rue étroite, bordée de maisons de briques roses. Les boutiques se succèdent : marchands de tissus assis sur des coussins, entourés de piles de *saris* de couleur vive, souvent garnis de paillettes d'or ; vendeurs de *tankas*, de moulins à prières, d'objets rituels destinés aux touristes. C'est la Makhan Tole, l'artère principale de la vieille ville, dans laquelle débouche un labyrinthe de petites rues où un *rickshaw* peut à peine se faufiler. Des

▲
Omniprésents au Népal, les yeux fascinants du Bouddha, qui ne dit rien mais voit tout, ornent les quatre faces de la flèche dorée, pavoisée d'oriflammes à prières, qui couronne le grand stupa de Bodnath.
Phot. S. Held

▶
Les figuiers, dont certaines espèces atteignent des tailles gigantesques, sont sacrés au Népal : c'est en méditant sous l'un de ces arbres que le Bouddha connut l'Illumination.
Phot. E. Valli

Voir sacrifier une chèvre devant le cokpit d'un Boeing, dans l'espoir que son sang attirera la protection de la déesse sur l'appareil, est assez déroutant. Ce sacrifice s'inscrit dans le cadre de la question fondamentale à laquelle les hommes essaient de trouver une réponse depuis la nuit des temps, chacun à leur façon. Danses masquées, bains rituels, parades militaires en présence du roi, processions, offrandes se succèdent durant neuf jours. Le dixième jour de la fête est consacré aux cérémonies d'apposition du *tika*, la marque rouge tracée sur le front en signe de bénédiction. Hindouistes et bouddhistes observent cette tradition, comme ils s'associent dans la plupart des fêtes religieuses et populaires, célébrées indifféremment par les dévots des deux cultes.

Sous le regard du Bouddha

À l'ouest de Katmandou, le temple de Swayambhunath domine la ville du haut de sa colline. D'immenses yeux cernés de bleu, se détachant sur fond or, veillent depuis des millénaires sur le Népal. Répétés sur les quatre faces de ce sanctuaire bouddhique, ils rappellent à la foule des pèlerins la toute-puissance, l'omniscience et la compassion du Bouddha. Trois cents marches conduisent à la plate-forme où s'élève le temple central, extraordinaire *stupa* surmonté d'une flèche faite de treize cercles de métal doré, dominés par un parasol d'or, symbole de majesté. Les fidèles, parmi lesquels on reconnaît beaucoup de Tibétains à leur longue robe rouge foncé et à leur chapeau à bords retroussés, se dirigent vers les moulins à prières entourant l'énorme dôme du *stupa*, dont ils font inlassablement le tour. Tout en récitant des *mantras* et en égrenant leur chapelet d'un reste machinal, ils font pivoter sur leur axe les moulins à prières dont le cylindre de cuivre contient un précieux parchemin portant la formule immuable *Om Mani Padmé Hum*.

Au nord de Katmandou, le son grave des cloches de bronze se mêle à ceux des trompes et des cymbales provenant de la *gompa* où officient les lamas : des rites compliqués s'accomplissent devant le temple d'Ajima, l'un des sanctuaires les plus populaires de la vallée,

dédié à la déesse qui protège de la petite vérole. Des offrandes de fleurs, de riz et de fruits sont déposées, que des singes impertinents viennent s'approprier en poussant des cris stridents. Les enfants jouent à cache-cache derrière les autels portant des bouddhas de pierre. Les dieux font partie de la vie de tous les jours.

Pashupatinath et Bodnath

Un ensemble de temples, dans la douceur d'une vallée où coule la Bagmati, la rivière sacrée : c'est Pashupatinath, haut lieu de l'hindouisme, dédié à Çiva, dieu de la Destruction et de la Recréation. De très loin, les fidèles affluent vers le temple de Pashupati, coiffé d'une double toiture de bronze doré et précédé d'une immense statue du taureau Nandi, la monture de Çiva. L'entrée du sanctuaire est réservée aux hindous.

Sur les bords de la rivière s'étendent les *ghats*, escaliers sacrés dont les larges degrés sont destinés, comme à Bénarès, à recevoir les bûchers funéraires. Tous les hindous du Népal

▲

Ville sainte des hindouistes népalais, Pashupatinath possède, comme Bénarès, des ghats, *larges escaliers descendant jusqu'à la rivière, où les pèlerins viennent faire leurs ablutions et où sont dressés les bûchers funéraires.*

Phot. Carot-Fotogram

souhaitent mourir ici, afin que leurs cendres, recueillies par le prêtre, soient dispersées dans les eaux sacrées, ce qui assurera à leur âme un départ heureux dans un nouveau cycle d'existence. Au moment des fêtes, les fidèles viennent se plonger dans la Bagmati pour se purifier. Les femmes conservent leur *sari*, qui colle à leur corps et leur donne une grâce toute particulière, semblable à celle des déesses antiques.

Une centaine de petits autels, alignés sur l'autre berge de la rivière, abritent chacun un *lingam*, pierre cylindrique dressée, représentant la force de création, symbole du dieu Çiva. Dès le petit matin, au moment où les cloches des temples se répondent dans la vallée, où les bûchers se préparent au bord du fleuve, des ascètes à moitié nus, le front barré de traits rouges ou jaunes, perdus dans leur contemplation intérieure, formulent leurs premières prières, la face tournée vers le soleil levant.

Un énorme *stupa* éclatant de blancheur, pavoisé d'une envolée de petits drapeaux de toutes les couleurs, portant des formules rituelles, c'est Bodnath, haut lieu de la ferveur bouddhique depuis plus de dix siècles. Les yeux du Bouddha, répétés quatre fois, comme à Swayambhunath, sur la tour dorée qui domine l'ensemble, confèrent à ce sanctuaire, l'un des plus vénérés de l'Asie, une présence extraordinaire.

De nombreux Tibétains, établis depuis longtemps au Népal ou réfugiés récents, vivent dans les maisons basses qui encerclent le temple. Leur vie s'est organisée. Beaucoup d'entre eux ont ouvert des boutiques et vendent aux visiteurs des objets en bois sculpté, des *tankas*, des bijoux et des tapis de fabrication artisanale. Certains offrent parfois des bronzes dorés anciens ou des objets rituels.

Histoire
Quelques repères

Vers 560 av. J.-C. : naissance du Bouddha à Kapilavastu, près de l'actuelle Lumbini, non loin de la frontière indienne.
250 av. J.-C. : l'empereur indien Açoka se rend au Népal.
IVᵉ-VIIᵉ s. apr. J.-C. : dynastie Lichchavi.
VIIᵉ s. : avènement de la dynastie Thakuri ; rayonnement considérable du Népal.
IXᵉ s. : période de chaos ; début de la dynastie Malla.
XVᵉ s. : le puissant roi Yaksha Malla partage son royaume entre ses trois fils, ce qui affaiblit le pays.
XVIIIᵉ s.-début du XIXᵉ s. : conflits avec la Chine et la Grande-Bretagne.
1815 : le Népal accepte la présence d'un résident anglais à Katmandou.
1846 : début de l'hégémonie des Rana, Premiers ministres de père en fils.
1949 : le Népal commence à s'ouvrir aux étrangers.
1951 : le roi Tribhuvana (1911-1955) met fin à la dictature des Rana.
1955-1972 : règne du roi Mahendra.
1972 : le roi Birendra accède au pouvoir.

Les anciennes capitales des Newars

Souvenirs du temps où il était divisé, le Népal a ses anciennes capitales royales, berceaux de l'art créé par les artistes newars, dont l'influence se répandit jusqu'en Chine.

Patan — autrefois Lalitapur — est actuellement la deuxième ville du pays (135 000 hab.).

▲
Dans la cour de l'ancien Palais royal de Patan, un petit temple en bronze doré rappelle que, aujourd'hui comme hier, les orfèvres de la ville sont réputés pour l'art avec lequel ils façonnent les métaux.
Phot. S. Held

Une multitude de temples et de pagodes aux toits superposés s'y enchevêtrent dans une espèce de désordre génial. Le regard a peine à se fixer, sollicité par l'étonnante beauté d'un ensemble où le bois s'allie à la brique rose pour faire ressortir l'or des bronzes. Pierre, bois ou métal, la finesse des détails est toujours la même. Aujourd'hui encore, les orfèvres de Patan continuent d'employer les anciennes techniques et les méthodes traditionnelles qui ont fait leur réputation. Darbar Square est la place

principale. Elle est bordée d'un côté par le Palais royal, ancienne résidence des souverains Malla, formée d'une succession de cours intérieures décorées d'une profusion de boiseries sculptées. Celle du « Bain royal » témoigne, par la finesse de ses statues et de ses bas-reliefs, d'un art à son apogée.

Bhatgaon — l'ancienne Bhaktapur —, capitale, comme Patan, de l'un des trois royaumes de la vallée de Katmandou lorsque le roi Yaksha Malla partagea le pays entre ses fils au XVᵉ siècle, est actuellement une petite ville paisible de 40 000 habitants. La vie de ceux-ci ne semble pas avoir changé depuis le temps où fut édifié cet extraordinaire ensemble de temples et de palais.

Statue en bronze doré, juchée au sommet d'un pilier se terminant en forme de lotus épanoui, le roi Bhupatindra, représenté les mains jointes, fait face à son palais. Il contemple la longue façade aux 55 fenêtres entourées de bois finement sculpté et la porte d'Or, chef-d'œuvre des orfèvres népalais, surmontée d'éléphants et de dragons délicieusement joueurs, en équilibre sur le toit doré. Les rues étroites et pentues de cette petite ville médiévale mènent à une autre place, dominée par la Nyatapola, une pagode à cinq toits, datant du XVIIIᵉ siècle, qui est la plus élevée du Népal. L'escalier monumental qui permet d'accéder à

▲

Bhatgaon : le Bhairavanath, l'un des rares temples du Népal à base rectangulaire et non carrée, et ses trois étages couronnés de sept petites flèches dorées.
Phot. E. Guillou

la terrasse où se dresse le temple est gardé par des géants, des éléphants, des lions, des dragons et des déesses qui forment une haie de pierre s'étageant jusqu'au sommet. Sur la place, les enfants escaladent les statues, des troupeaux de chèvres se faufilent parmi les corbeilles des marchands ambulants, des paysans s'arrêtent un moment devant l'autel dédié à Ganeça, fils de Çiva, le dieu à tête d'éléphant si populaire au Népal. Ces acteurs d'un instant évoluent dans un décor que le génie de leurs ancêtres a créé au cours des siècles.

S'ils ont bâti des demeures pour leurs dieux et leurs rois, les habitants de ce pays, pour survivre, ont aussi sculpté les montagnes. Cultiver ces terrasses est un épuisant travail de patience. Tout est transporté à dos d'hommes, dans des hottes d'osier tressé, retenues par une sangle appuyée sur le front. Les distances ne comptent pas. Le temps non plus.

Face à l'Himalaya

Les habitants de ces contrées ne s'étaient jamais attaqués aux sommets qui les dominent, régions réputées inaccessibles, objet de leurs frayeurs secrètes et demeure de leurs dieux (le mont Kaiklash, montagne sacrée, est la résidence de Çiva et de Parvati). Aussi les populations des villages himalayens ne comprennent-elles pas que l'on se donne tant de mal pour violer les cimes.

L'ascension de l'Everest donna lieu à plusieurs tentatives, dont la première remonte à 1893 et dont beaucoup furent meurtrières. C'est finalement en 1953, le 29 mai, que le Néo-Zélandais Edmund Hillary et le Sherpa Norgay Tensing atteignirent le « toit du monde ». Depuis, Suisses, Chinois, Américains, Indiens, Français et bien d'autres rééditèrent cet exploit. Actuellement, le Sherpa Ngawang Norbu est le seul homme au monde à avoir réussi à deux reprises la conquête de l'Everest.

Tensing et Norbu vivent en Inde, à Darjeeling, proche du Népal et du Sikkim, où ils s'occupent de l'Institut d'alpinisme de l'Himalaya. Darjeeling est une merveilleuse fenêtre sur le Kanchenjunga (8 598 m), cet autre géant que les foules vont religieusement admirer au petit matin, du haut de Tiger Hill (colline du Tigre), lorsque les premières lueurs du soleil levant illuminent sa majestueuse beauté. La conquête du Kanchenjunga par les Anglais date de 1955 ; celle de l'Annapurna (8 090 m) par les Français remonte à 1950 ■   Suzanne HELD

Le Bhoutan

Petit royaume himalayen, situé entre le plateau tibétain, l'Assam et le Sikkim, le Bhoutan couvre 47 000 km² et compte un peu plus de un million d'habitants. Ses forêts splendides sont fleuries au printemps d'azalées et de rhododendrons, et Punakha, la capitale d'hiver, se trouve dans une vallée où, grâce à un microclimat, poussent des bananiers.

Thimphu (ou Thimbu), la moderne capitale d'été où réside le roi, est à 2 500 m d'altitude, au cœur de l'Himalaya. Jigme Singye Wangchuk, quatrième roi du Bhoutan, est un jeune monarque dynamique, qui est monté sur le trône en 1974, à l'âge de dix-huit ans. Son pays fait partie des Nations unies depuis 1971.

Les hautes vallées himalayennes, aux paysages grandioses, sont parsemées de dzongs, monastères-forteresses construits il y a des siècles pour abriter les lamas et toute la société monastique ; ils sont aujourd'hui le siège de l'administration locale, tant laïque que religieuse. Par leur majesté et leur beauté, les dzongs sont la grande attraction du Bouthan. Simtokha, le plus ancien, date du XVIIᵉ siècle ; Tongsa, le plus important, héberge près de 1 500 moines et administrateurs ; Ta Tsang, un des plus réputés, domine un à-pic de 400 m.

◀
Bhatgaon : symboles de force, des lutteurs, des éléphants, des lions et des animaux fantastiques, tous badigeonnés de couleurs vives, flanquent l'escalier monumental qui conduit au Nyatapola, haute pagode ceinturée d'un élégant péristyle.
Phot. Silverstone-Magnum

▲
Accroché à la montagne à près de 4 000 m d'altitude, à quelques kilomètres à vol d'oiseau de l'Everest, le monastère bouddhique de Tyangboche offre à ses lamas le spectacle des plus hauts sommets du monde.
Phot. Weisbecker-Explorer

▶
Lever de soleil sur l'Himalaya.
Phot. C. Lénars

Sri Lanka (Ceylan)

Ceylan a repris son ancien nom, celui qui lui vient de son lointain passé : Sri Lanka, l'«île resplendissante». À la fin du XIIIe siècle, Marco Polo, le célèbre voyageur vénitien, notait déjà dans son *Livre :* «L'île est vraiment la meilleure et la plus illustre île du monde [...] C'est dans cette île que se trouvent les rubis — il n'en existe pas autre part —, les saphirs, les topazes, les améthystes et beaucoup d'autres pierres précieuses. Le roi de l'île possède le plus beau et le plus gros rubis du monde, qui est aussi long qu'une paume et aussi gros que le bras d'un homme. C'est la plus belle pierre à voir, elle n'a aucune tache, est aussi rouge que le feu, et sa valeur est telle qu'à peine pourrait-on l'acheter. Le Grand Khan envoya ses ambassadeurs au roi pour lui demander si, par courtoisie, il voudrait lui vendre ce rubis, car il en avait fort envie, lui promettant en échange la valeur d'une cité ou ce qu'il voudrait. Le roi lui répondit que pour rien au monde il ne s'en dessaisirait, le tenant de ses ancêtres. »

L'île convoitée

Par ses richesses et sa position stratégique dans l'océan Indien, entre la mer d'Oman et le golfe du Bengale, Sri Lanka n'a cessé, pendant des siècles, d'éveiller les convoitises. Aussi son histoire se présente-t-elle comme une longue lutte pour préserver sa liberté, sa personnalité et surtout sa religion. Malgré ses vicissitudes presque continues pendant deux millénaires, son peuple n'a jamais renoncé à son goût de l'indépendance, ni à sa dévotion au Bouddha.

▲

Venu de l'Inde, d'où il a maintenant à peu près disparu, le bouddhisme reste la religion dominante de Ceylan et tient une grande place dans la vie quotidienne. (Vatadage de Polonnaruwa.)
Phot. S. Marmounier

En revanche, il n'a jamais agressé quiconque, et il a toujours profité de ses périodes de répit pour mettre son sol en valeur et cultiver les arts.

Les renseignements que l'on possède sur les premiers habitants de l'île, les Veddas, sont du domaine de la légende. Les plus anciennes chroniques ceylanaises, le *Dipavamsa* et le *Mahavamsa*, les présentent comme des chasseurs qui se groupaient en clans dotés de noms d'animaux. Par ailleurs, le *Ramayana*, l'épopée sacrée des hindous, raconte leurs premiers affrontements avec des envahisseurs étrangers — en l'occurrence les Indo-Européens — au IIe millénaire av. J.-C. La légende transpose le conflit en un combat singulier entre le prince aryen Rama et le roi de Lanka, Ravana. Celui-ci n'a pas le beau rôle ; il est présenté comme un chef de bande brutal, entouré de mauvais génies qui ne respectent ni les biens ni les femmes de leurs voisins !

Le premier récit historique concernant Ceylan est une répétition de la légende. Au Ve siècle av. J.-C., le prince aryen Vijaya (dont le nom signifie « victoire » en sanskrit), venu du royaume de Maghada, dans la plaine du Gange, débarque avec sept cents guerriers et fonde la première dynastie. Celle-ci est appelée Sinhala (de *sinha*, le lion), nom qui s'est peu à peu étendu à tous les habitants de Lanka. Ceylan devint ainsi l'île des Sinhalas, que les Anglais déformèrent en *Sinhales*, et les Français en Cinghalais. On ignore l'emplacement de la première capitale des nouveaux maîtres de l'île, mais un siècle plus tard fut fondée celle qui allait dominer l'histoire cinghalaise pendant plus d'un millénaire : Anuradhapura.

Un bouddhisme toujours vivant

Au IIIe siècle av. J.-C. se produisit un autre événement essentiel, l'introduction à Ceylan du bouddhisme par le prince Mahinda, fils du grand empereur indien Açoka, accompagné de quelques moines. La conversion immédiate du roi de Lanka entraîna celle de milliers de sujets (8 500 en sept jours, dit la légende). Par la suite, les Cinghalais sont toujours restés fidèles à cette religion, dans la paix comme dans la guerre, dans l'indépendance comme dans la sujétion.

À cette époque, Ceylan n'était déjà plus une île isolée. Les marins hellénistiques la connaissaient et lui avaient donné le nom de *Taprobane*. Par la suite, les Romains, profitant des vents saisonniers, instaurèrent des échanges commerciaux, et même amicaux, puisque Pline eut l'occasion de rencontrer des ambassadeurs de Lanka sous le règne de l'empereur Claude (Ier s. apr. J.-C.). Aux environs de 160, le géographe Ptolémée donna même une description — assez fantaisiste, il faut bien le dire — de *Taprobane*.

À partir du IIe siècle av. J.-C. et pendant tout le premier millénaire de notre ère, des Tamouls brahmanistes, venus du sud de l'Inde, envahirent l'île à maintes reprises, entraînant chaque fois une éclipse des royautés locales et du bouddhisme. Mais, tout aussi régulièrement, de grands rois guerriers repoussèrent les envahisseurs et rendirent à Ceylan une indépendance de plus ou moins longue durée. Parmi ceux-ci, il faut citer Duttha, Gamani (ou Dutugamunu), dont la tombe existe toujours à Anuradhapura, Vihara Tissa, qui favorisa les lettres et les sciences, et surtout Mahasena, grand bâtisseur,

Dans la baie bien abritée de Weligama, au sud de l'île, les pêcheurs à la ligne, juchés sur d'inconfortables perchoirs au-dessus des flots, guettent les poissons qu'amène la marée montante.
Phot. S. Held

qui construisit des monastères, installa un système d'irrigation pour mettre en valeur les régions arides et fit rédiger la chronique de l'île, le *Dipavamsa*.

Après lui, Buddhadasa se distingue par la construction, vers 360, d'une nouvelle capitale, Polonnaruwa, sur les bords d'un lac artificiel aménagé par son prédécesseur. Au Ve siècle, Dhatusena continue les travaux d'irrigation de l'île et meurt, vers 500, victime de son propre

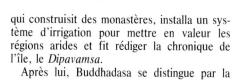

Activement pratiquée sur toutes les côtes — comme d'ailleurs dans les lacs et les rivières —, la pêche contribue à nourrir un pays où, malgré les progrès de l'élevage, la viande reste un luxe.
Phot. Accarias-AFIP

fils, le sanguinaire Kasyapa. Celui-ci fuit ses remords dans un palais-forteresse isolé au sommet d'un roc abrupt, dans lequel il se terre jusqu'au jour où son frère, Moggalana, venge la mémoire de leur père. Près du rocher maudit, abandonné à la jungle, le nouveau roi établit des monastères, dont les moines rédigent la « Grande Chronique » (Mahavamsa).

À partir du VIᵉ siècle, les invasions s'intensifient. Chaque défaite provoque le repli de la royauté sur Polonnaruwa, et chaque libération le retour dans la vieille capitale d'Anuradhapura. Mais, en 993, cette dernière, trop vulnérable, est définitivement abandonnée. Dans la partie sud de l'île, restée indépendante, le pouvoir s'émiette alors entre un certain nombre de petits princes, le plus souvent réfugiés dans la montagne, qui sera désormais, pour les Cinghalais, le symbole de la liberté. Bien que ces roitelets n'aient plus la puissance de leurs prédécesseurs, le XIIᵉ et le XIIIᵉ siècle représentent l'âge d'or de la civilisation cinghalaise. On assiste à une renaissance de tous les arts, encouragés par des rois tels que Parakrama Bahu Iᵉʳ (1153-1186) et Parakrama Bahu II (vers 1240), qui font construire de somptueux monuments, encouragent les lettres et favorisent le bouddhisme, tout en pratiquant une très large tolérance religieuse, inconnue à cette époque des nations de l'Occident.

▲
En dépit des efforts des paysans et de leurs attelages de buffles, la production du riz, aliment de base des Cinghalais, ne parvient pas, malgré ses deux récoltes annuelles, à nourrir toute la population.
Phot. S. Held

3

L'ère portugaise

La décadence commence avec Parakrama Bahu IV (1290-1327), qui laisse retourner à la friche toutes les régions de plateaux, irriguées depuis des siècles, et se cantonne dans le Sud. Malgré quelques sursauts éphémères, le pouvoir royal se dégrade, et c'est une île politiquement affaiblie que voit Marco Polo, lorsqu'il passe à Kurunegala en 1294. C'est alors que de nouveaux envahisseurs prennent le relais des Indiens pour la conquête de Ceylan : les Portugais.

Comme sur beaucoup d'autres points du globe, ceux-ci font figure de précurseurs : ils furent les premiers Européens à s'intéresser à Ceylan, en cherchant à prendre pied sur la route des épices, monopolisée jusque-là par les Arabes. Cela commença par un comptoir commercial à Colombo, protégé par un fort, puis par une véritable citadelle (1505). Ils étendirent ensuite leur influence par l'intermédiaire de certains princes opportunistes, les autres se retirant dans les montagnes pour leur résister.

Histoire
Quelques repères

IIIᵉ s. av. J.-C. : introduction du bouddhisme à Ceylan par Mahinda, fils de l'empereur indien Açoka, qui convertit le roi Devanampiya Tissa.
IIᵉ s. av. J.-C.-IVᵉ s. apr. J.-C. : nombreuses invasions de Tamouls venus du sud de l'Inde.
Vers 325 : une dent du Bouddha, relique sacrée, est apportée à Ceylan.
Vᵉ s. : Sigiriya devient la capitale du roi Kasyapa, qui aménage une forteresse-palais dans le rocher du Lion.
Début du VIᵉ s. : le roi Moggalana ramène la capitale à Anuradhapura.
993 : prise d'Anuradhapura par les Chola venus de l'Inde.
1073 : le roi Vijaya Bahu choisit Polonnaruwa comme capitale.
1153-1186 : règne de Parakrama Bahu Iᵉʳ ; âge d'or de Polonnaruwa, édification de palais et de monuments.
1294 : Marco Polo fait escale à Ceylan.
XIIIᵉ-XVᵉ s. : luttes continuelles contre divers envahisseurs ; des capitales éphémères se succèdent (Dambadeniya, Yapahuva, Gampola, Kotte).
XVIᵉ s. : colonisation portugaise.
1592 : Kandy devient la capitale du royaume de Ceylan.
XVIIᵉ s. : conquête hollandaise, favorisée par la rivalité entre les rois de Kandy et les Portugais.
1795-1796 : les Anglais s'emparent de Trincomalee et de Colombo.
1802 : les Hollandais abandonnent Ceylan, qui devient une colonie britannique.
1815 : fin du royaume de Kandy ; les Anglais détrônent le dernier roi, qui meurt en exil.
1939-1945 : Ceylan participe à la guerre aux côtés de la Grande-Bretagne.
1948 : indépendance au sein du Commonwealth.
1972 : proclamation de la république ; Ceylan reprend son ancien nom de Sri Lanka.

Ce fut le cas, en particulier, de Mayadunne qui, avec son fils Raja Sinha, parvint à tenir tête pendant quarante ans aux soldats portugais. Ceux-ci, en fin de compte, restèrent cantonnés dans les provinces maritimes et ne réussirent jamais à s'implanter dans l'intérieur de l'île. La population, de son côté, demeurait fidèle à ses chefs, et les missionnaires catholiques n'eurent guère plus de succès que les soldats : seuls quelques princes « collaborateurs » et le petit peuple des pêcheurs se laissèrent convertir. La position des Portugais n'était pas assez forte pour qu'ils puissent faire face à la fois aux remous des difficultés qu'éprouvait alors la métropole (c'était l'époque de la défaite de l'Invincible Armada) et aux assauts de concurrents dangereux : les Hollandais.

Le relais des Hollandais

Après la fondation de la Compagnie hollandaise des Indes orientales, en 1602, les Pays-Bas cherchaient à s'insérer dans le commerce du sud de l'Asie, et, tout naturellement, ils s'en prirent aux premiers installés, qui se trouvaient être en même temps leurs ennemis en Europe. Avec l'alliance du roi de Kandy, ils parvinrent à s'implanter à Ceylan et éliminèrent progressivement les Portugais, jusqu'au jour où ils se trouvèrent à leur place, maîtres des provinces maritimes. Mais, pas plus que leurs prédécesseurs, les Hollandais ne parvinrent à s'emparer de l'intérieur de l'île. Pendant près de deux siècles, ils mirent en valeur les régions côtières, créant villes et citadelles, canaux et plantations. Ils essayèrent même, sans plus de succès que les missionnaires catholiques, d'intéresser les Cinghalais à la religion réformée. Le seul résultat fut un attachement encore plus fervent au bouddhisme, et ce réveil de la foi traditionnelle alla, comme toujours, de pair avec un réveil du nationalisme. La guerre, qui couvait depuis

longtemps, éclata ouvertement avec le roi Kirti Sri (1747-1780), qui parvint à tenir les Hollandais en échec durant sept ans (1760-1767). Cependant, d'autres Européens avides, Français et Anglais, débarquaient à leur tour sur l'île. À la faveur des troubles causés par la Révolution française en Europe et de la zizanie régnant entre les administrateurs néerlandais, l'Angleterre élimina définitivement les Pays-Bas de Ceylan au cours de l'année 1802.

◄

Très peu farouche, l'énorme python sort souvent de la jungle et pénètre dans les villages : malgré sa force colossale, il n'est pas dangereux, car il ne s'attaque qu'aux proies de petite taille.
Phot. S. Held

Le dernier roi cinghalais

Les Cinghalais, toutefois, ne se laissèrent pas vaincre aussi facilement que les Hollandais, et il fallut aux Britanniques treize ans de durs combats pour soumettre la totalité du territoire : c'est seulement en 1815 que le dernier roi de Ceylan, Sri Wickrama Raja Sinha, fut déposé. Encore avait-il fallu, pour le découra-ger, qu'un officier anglais s'emparât d'une relique sacrée entre toutes, la « dent ». Les Cinghalais considérèrent cet événement comme un signe du destin, et c'est ainsi que la totalité de Ceylan devint une colonie de la couronne d'Angleterre. À l'issue de la dernière révolte (1848), le gouverneur britannique remit la « dent » aux moines de Kandy. C'était une manifestation de bonne volonté de la part de la Grande-Bretagne, mais ce fut le point de départ d'une nouvelle renaissance du sentiment bouddhiste et national, tout à fait dans la tradition des efforts millénaires des Cinghalais pour maintenir leur foi et leur personnalité.

En introduisant à Ceylan les cultures du théier et de l'hévéa, les Anglais ont fait entrer l'île dans les circuits de l'économie mondiale, mais, malgré leur action philanthropique et une tendance à la libéralisation du régime colonial, ils n'ont pas pu empêcher le développement de

▲

Grand seigneur de la forêt ceylanaise, l'éléphant est assez facile à domestiquer, et son mahout *(cornac), dépositaire d'une science séculaire, connaît une centaine de centres nerveux qu'il lui suffit de toucher pour diriger sa monture à sa guise.*
Phot. Rainon-Explorer

mouvements nationalistes semblables à ceux de l'Inde voisine : « Ligue de Ceylan », « Association nationale de Ceylan », puis, en 1919, « Parti du Congrès de Ceylan ». Pendant la Seconde Guerre mondiale, l'île devint le siège du quartier général des forces alliées, ce qui lui valut d'être maintes fois bombardée par les Japonais. C'est pendant cette période dramatique que Winston Churchill promit aux Ceylanais l'autonomie à l'issue de la guerre.

L'indépendance au sein du Commonwealth fut proclamée le 4 février 1948. Cependant, ce n'était pas encore une véritable indépendance : le pouvoir restait proche des anciens colonisateurs, les « sahibs bruns » ayant simplement pris la place des « sahibs blancs ». En 1956, coup de théâtre : les élections donnent le pouvoir à l'opposition de gauche (Sri Lanka Freedom Party, allié à divers mouvements marxistes). Le nouveau Premier ministre, Solomon Bandaranaike, essaie de construire une société à la fois plus juste sur le plan social et plus fidèle aux valeurs traditionnelles. Cet effort n'est pas du goût des minorités riches ou non bouddhistes, qui se sentent brimées. C'est pourtant un bonze qui assassine Bandaranaike en 1959... Les élections de 1960 donnent le pouvoir à sa veuve, qui le conserve — avec une éclipse de 1965 à 1970 — jusqu'en 1977.

La Constitution de la république de Sri Lanka fut proclamée le 22 mai 1972. Elle instituait un régime parlementaire de type britannique, ayant à sa tête un chef d'État sans grande autorité. Après le triomphe électoral qui, en juillet 1977, porta au pouvoir les conservateurs et leur chef, Junius Richard Jayawardene, cette Constitution a été modifiée par une

Chaque année, à la pleine lune d'août, la fête de l'Esala Perahera fait défiler dans les rues de Kandy un cortège d'éléphants somptueusement caparaçonnés, portant sur un palanquin la prestigieuse relique qui fait de la ville le centre du bouddhisme cinghalais.
Phot. Tingaud-Rapho

loi fondamentale, qui a transformé le régime en une république présidentielle inspirée de la Constitution française de 1958.

L'île resplendissante

L'île de Sri Lanka n'est séparée du sud de l'Inde que par un chenal d'une quarantaine de kilomètres de large, le détroit de Palk. Sa superficie est de 65 610 km², soit le neuvième de la France, et elle présente une grande variété de paysages, allant des rivages bordés de cocotiers et des plaines tropicales couvertes de rizières aux montagnes où s'étagent les plantations d'arbres à thé, principale richesse de l'île.

Ce paradis rempli de fleurs, où la végétation tout entière semble sortir d'une serre, bénéficie d'un climat exceptionnellement ensoleillé, en dépit des pluies auxquelles la nature doit la qualité de ses verts profonds et vernissés. Des milliers de lacs et de rivières et une région fabuleuse, celle de Ratnapura, où se trouvent les pierres précieuses, complètent ce tableau rapide.

Dans cette île vivent en harmonie 14 millions d'habitants, indifféremment appelés Ceylanais, qu'ils soient Cinghalais (la majorité, 71 p. 100), Tamouls (conquérants venus du sud de l'Inde), Arabes, Malais ou Burghers, ces derniers étant les descendants d'Européens — Portugais ou Hollandais — unis à des Cinghalaises.

La bonne entente qui règne entre les différentes races est tout aussi effective en matière de religion. Bouddhistes (ce sont les plus nombreux, 75 p. 100 de la population), hindous, chrétiens et musulmans se côtoient depuis des siècles dans une concorde parfaite.

Cette harmonie se remarque à chaque instant à Colombo, la capitale. Au cœur du vieux quartier de Pettah, une foule dense se presse dans les rues étroites, dont les boutiques serrées les unes contre les autres composent le décor bariolé du plus éclatant de tous les marchés orientaux. Montagnes de fruits exotiques (mangues, papayes, goyaves, bananes et noix de coco) ou monceaux d'épices, c'est toujours la même débauche de couleurs, à laquelle s'associe la façade du temple hindou de Kadhiseran, couverte de divinités roses ou bleues comme des bonbons fondants. Un peu plus loin, la grande mosquée Jami-U1-Alfar-Jumma se signale par les rayures blanches et rouges qui couvrent le monument tout entier, coupole bulbeuse et minarets compris : elle ne peut échapper au regard. Une autre mosquée, verte et blanche cette fois, élargit encore cette palette.

Le même enchevêtrement se retrouve dans le quartier du Fort. Garnison militaire du XVIe au XVIIIe siècle, durant l'occupation portugaise et hollandaise, c'est à présent le quartier des affaires, avec ses magasins, ses banques, ses sociétés étrangères vivant au rythme de la tour de l'Horloge piquée en son centre. Cette tour, plus que centenaire, était primitivement un phare, le seul au monde, probablement, à être situé en plein cœur d'une ville.

Mais, très vite, la végétation reprend ses droits, et l'on glisse sans transition vers les beaux quartiers, aux maisons cachées parmi les bougainvillées et les hibiscus, pour passer imperceptiblement à une campagne tout aussi fleurie. La route qui va de Colombo à Kandy est une sorte de condensé, de résumé de l'extraordinaire diversité des paysages ceylanais. Dans la végétation généreuse, foisonnante, on apprend vite à reconnaître toute la gamme des plantes avec lesquelles la nature compose les symphonies les plus subtiles. On fait connaissance avec l'arbre à pain, le jacquier, le frangipanier, l'aréquier, le tallipot aux larges feuilles en éventail, aux énormes fleurs blanches.

Non loin de Kandy, le jardin botanique de Peradeniya est une pure merveille, avec ses touffes de bambous géants et son allée de palmiers aux troncs rectilignes, immenses, alignés comme les colonnes d'un temple. Tous les végétaux tropicaux sont représentés, à la fois acteurs et décors de cette vaste composition théâtrale, à laquelle les papyrus venus d'Égypte et les nénuphars géants de l'Amazonie participent au même titre que les très rares cocotiers de mer, particuliers à l'île de Praslin, aux Seychelles, qui produisent de fabuleuses noix de coco doubles. Camphriers et philodendrons

À Kelaniya, près de Colombo, la fête en partie nocturne du Duruthu Perahera célèbre en janvier, dans un déploiement d'ornements pittoresques et colorés, la visite légendaire du Bouddha à l'île de Ceylan.
Phot. C. Lénars

Grand bâtisseur de monastères, le pieux roi Mahasena (IVe s.) s'occupa aussi d'irriguer son royaume et fit édifier de nombreux barrages, dont celui qui créa le lac de Topawewa, près de la cité royale de Polonnaruwa.
Phot. C. Lénars
▶

se mêlent aux fougères arborescentes. Un sentier court parmi les épices : vanille, cannelle, gingembre, girofle, cardamome et muscade. Dans une serre s'épanouissent toutes les variétés d'orchidées. C'est un jardin-paradis au cœur d'une île-jardin.

Fastes d'un autre âge
pour la dent du Bouddha

Vénérée par les bouddhistes du monde entier, Kandy s'inscrit dans un cadre de collines boisées, autour d'un lac artificiel et d'un palais qui datent de Sri Wickrama Raja Sinha, le dernier souverain de Ceylan.

Le monument le plus célèbre de Kandy est le temple de la Dent. Adossé aux collines verdoyantes, entouré de douves qu'enjambe un petit pont gardé par deux éléphants de pierre, le temple, remanié, reconstruit à différentes époques sans grand souci d'harmonie, se compose de plusieurs bâtiments : le sanctuaire abritant la relique sacrée se trouve au centre, au milieu d'une cour. Sept écrins d'or, sertis d'émeraudes, de rubis et de perles, emboîtés les uns dans les autres et de plus en plus précieux au fur et à mesure que leur taille diminue, contiennent, posée sur une fleur de lotus en or massif, la précieuse dent du Bouddha.

Selon la tradition, cette dent serait parvenue à Ceylan au IVe siècle de notre ère, grâce à une princesse indienne qui, pour la soustraire aux dangers que les progrès du jaïnisme lui faisaient courir dans son pays, l'aurait apportée à Ceylan, dissimulée dans sa chevelure. La dent fut récupérée par les Indiens au XIIIe siècle, puis reconquise par le roi Parakrama Bahu III, qui la rapporta à Ceylan, où elle est l'objet, depuis des siècles, d'une dévotion toute particulière.

L'authenticité de la relique est contestée par les Portugais, qui prétendent avoir détruit la dent à Goa, mais les bouddhistes affirment qu'il s'agissait d'une imitation et que la véritable dent est bien celle qui est conservée dans le temple de Kandy. Quoi qu'il en soit, les fidèles ne cessent de défiler et viennent chaque jour déposer sur les autels de multiples offrandes, dans une atmosphère de recueillement bourdonnante de litanies chuchotées et embaumée par le doux parfum des fleurs de frangipanier, mêlé aux odeurs d'encens.

Chaque année, à la fin du mois de juillet ou au début du mois d'août, se déroule en l'honneur de la sainte relique la cérémonie la plus spectaculaire que l'on puisse imaginer : l'Esala Perahera. La fête dure dix jours et s'achève, la dernière nuit, par un défilé d'une centaine d'éléphants caparaçonnés de velours et de soie brodée d'or et d'argent. Danseurs, porteurs de torches, dignitaires en costume d'apparat parcourent les rues où se presse la foule, en une lente procession rythmée par le roulement des tambours. Cette fête est une des plus somptueuses de toute l'Asie.

Anuradhapura,
la capitale oubliée

Anuradhapura, la plus ancienne capitale connue du royaume, fondée en 437 av. J.-C. et abandonnée en 993, resta livrée à la jungle pendant des siècles. On l'oublia complètement jusqu'au jour où un jeune fonctionnaire anglais attira l'attention de son gouvernement sur les ruines qu'il venait de découvrir. Cela se passait en 1817, mais il s'écoula encore près d'un siècle avant que les fouilles ne commencent (1912). Alors apparut une cité immense, dont l'histoire remontait à près de deux mille cinq cents ans. Une multitude de monuments — palais, temples, monastères et *dagobas* — furent ainsi dégagés de la gangue végétale qui les emprisonnait.

◄
Reconstruit à plusieurs reprises depuis le IVe siècle, le temple de la Dent fait de Kandy une ville sainte, bien que la relique du Bouddha qu'il abrite ait connu tant de vicissitudes au cours des âges que son authenticité est fortement contestée.
Phot. G. Papigny

▲
Si les bonzes ne possèdent en propre que leur robe safran et leur bol à aumônes, les monastères bouddhiques sont souvent fort riches, et leur influence, tant spirituelle que temporelle, reste grande.

Phot. Tingaud-Rapho

▶
Couverte d'un exubérant manteau de verdure dont la frange de palmiers descend jusqu'au rivage, Ceylan est décrite comme une « île d'émeraude » par la Ramayana, la grande épopée hindouiste.

Phot. C. Lénars

La vie religieuse reprit. Parmi les huit sites sacrés d'Anuradhapura, les bouddhistes du monde entier accordent une vénération particulière au plus vieil arbre du monde, l'arbre de la Bodhi, issu d'une bouture de celui sous lequel le Bouddha reçut l'illumination. Le rameau, apporté à Ceylan par la fille de l'empereur Açoka, sœur de Mahinda, l'apôtre de l'île, donna naissance à un ficus aux multiples ramures, qui a maintenant quelque vingt-trois siècles.

Tout proche, le Lovamaha Paya, ou palais de Bronze, fondé par le roi Duttha Gamani au Ier siècle av. J.-C., doit son nom aux plaques de métal qui le recouvraient. C'était un monastère, qui comprenait 1 000 chambres réparties sur 9 étages. La décoration était somptueuse : frises incrustées de corail et de pierres précieuses, placages d'argent, trône en ivoire... Malheureusement, cet édifice colossal fut entièrement dévasté par un incendie. Il n'en reste, piquées en terre, que 40 rangées de 40 piliers, forêt de 1 600 pierres dressées, qui formaient le soubassement de ce monument édifié en bois et disparu quinze ans après sa construction.

Au nombre des sanctuaires figurent plusieurs dagobas, dont le plus ancien est le Thuparama, construit au IIIᵉ siècle av. J.-C. par le roi Devanampiya Tissa pour abriter une clavicule

du Bouddha que lui avait offerte l'empereur Açoka ; ruiné, ce *dagoba* fut reconstruit au XIXᵉ siècle, et sa forme actuelle, « en cloche », date de cette époque.

Le *dagoba* — appelé *stupa* en Inde — est un reliquaire monumental, le plus souvent placé au centre d'un complexe religieux. Il se compose d'une terrasse surélevée, portant un dôme généralement hémisphérique. Celui-ci est surmonté d'un caisson carré, d'où s'élance une flèche composée d'une série d'anneaux symbolisant des parasols stylisés. Cette flèche, souvent dorée, est parfois surmontée d'une pierre précieuse, enchâssée dans un cercle de cristal. Étant uniquement destiné à accueillir des reliques, le *dagoba* est une construction pleine, dans laquelle on ne pénètre pas. Les fidèles se contentent de le contourner, toujours de gauche à droite, en récitant des formules sacrées.

Anuradhapura était un modèle d'urbanisme. L'approvisionnement en eau était assuré par des étangs artificiels, vastes réservoirs conçus par un bâtisseur de génie, le roi Pandukabhaya. À présent, leurs eaux immobiles reflètent lotus et nénuphars. Un calme extraordinaire règne dans l'immense parc où les temples se répartissent parmi les arbres magnifiques dont les singes farceurs se disputent les branches.

A quelques kilomètres d'Anuradhapura, un autre sanctuaire millénaire est toujours l'objet d'une grande dévotion : Mihintale. Le site est d'une beauté privilégiée, résultant d'une rare harmonie entre la pierre, la douceur de l'air et la qualité de la lumière. Un escalier sans fin, bordé de frangipaniers dont les fleurs au parfum délicat jonchent les larges marches plates (il y en a plus de 1 800 !), forme une voie magique. Il mène à l'endroit le plus vénéré de Ceylan, en escaladant la colline où, vers l'an 250 avant notre ère, lors de la pleine lune de juin, Mahinda, fils de l'empereur indien Açoka, convertit au bouddhisme le roi Devanampiya Tissa, qui régnait dans la toute proche Anuradhapura.

Édifié à l'endroit exact où le culte du Bouddha prit ainsi naissance à Ceylan, un *dagoba* restauré, dont la tache blanche s'aperçoit de très loin dans cet univers tropical, perpétue le souvenir de cet événement. Les jours de fête, les foules recueillies gravissent lentement l'interminable escalier pour atteindre la caverne qui aurait abrité Mahinda et ses disciples.

Le siècle qui fit la gloire de Polonnaruwa

Des invasions répétées finirent par entraîner la décadence d'Anuradhapura et, dès le VIIIᵉ siècle, le pouvoir fut transféré à plusieurs reprises à Polonnaruwa. Capitale officielle des rois cinghalais à partir de 1073, Polonnaruwa connut son âge d'or au XIIᵉ siècle, grâce à l'énergie farouche d'un grand roi, Parakrama Bahu Iᵉʳ. Les principaux monuments de la ville datent de cette époque, où une paix éphémère permit l'épanouissement d'un art raffiné. Dès le XIIIᵉ siècle, de nouvelles invasions déferlèrent sur la région, et Polonnaruwa fut abandonnée définitivement en 1314. Temples et palais tombèrent alors en ruine, engloutis par la forêt envahissante, comme ceux d'Anuradhapura, et ils ne furent dégagés qu'au début du XIXᵉ siècle.

Les monuments sont éparpillés dans un cadre romantique très étendu, comprenant un lac artificiel conçu pour irriguer toute la contrée. La Citadelle, jadis entourée de murs, comprenait un immense palais royal à sept étages, qui devait contenir un millier de salles richement décorées. Il n'en reste plus que quelques pans de murs en brique. Les branches des grands arbres de la jungle se faufilent par leurs ouvertures béantes, conférant à l'ensemble la poésie étrange que les ruines savent créer. Toute proche, la plate-forme de la chambre du Conseil a conservé sa décoration. Tout autour

▲
Fondée, selon la tradition, au IVᵉ siècle av. J.-C., la ville sainte d'Anuradhapura fut désertée vers l'an 1000 et envahie par la jungle ; dégagée à partir de 1912, elle a été en partie restaurée. (Intérieur du Ruvanvelisaya, temple rebâti vers 1930.)
Phot. C. Lénars

▲
Connus sous le nom d'« Amants », mais représentant probablement des dieux, ces gracieux personnages de pierre sont l'un des plus beaux bas-reliefs de l'Isurumuni Vihara, grand ensemble monastique d'Anuradhapura, mi-bâti, mi-creusé dans le roc.
Phot. S. Held

▶
De tous les dagobas *anciens de Ceylan — ces reliquaires massifs, en forme de cloche, que les Indiens appellent* stupas *et qui constituent le chœur des sanctuaires bouddhiques —, le mieux conservé dans son état original est le Kiri Vihara de Polonnaruwa.*
Phot. M. Dupuis

courent des frises d'éléphants, de lions et de nains espiègles. Les poses inattendues de ces derniers donnent un côté réaliste et attendrissant à une architecture par ailleurs rigoureuse, que l'on retrouve au temple bouddhique du Tivanka, également construit sous le règne de Parakrama Bahu Ier. Les murs intérieurs sont ornés de très belles fresques : certaines d'entre elles, recouvertes de lait de chaux, n'ont été mises au jour qu'en 1950. Elles illustrent les légendes des vies antérieures du Bouddha.

Au milieu de la végétation tropicale de ce parc immense apparaissent une multitude de monuments, dont un *dagoba* à la blancheur laiteuse, différents sanctuaires aux portails flanqués de stèles représentant des divinités montant la garde, et un remarquable groupe de colonnes en forme de tiges onduleuses, monolithes couronnés de chapiteaux figurant des lotus à peine éclos. Quatre bouddhas assis dominent la terrasse centrale d'un temple rond, dont les escaliers aux marches finement sculptées sont précédés de magnifiques « pierres de lune ». Ces pierres semi-circulaires, le plus souvent placées au seuil des temples, sont gravées de frises représentant des chevaux, des éléphants et des oies sacrées, disposées en bandeaux successifs symbolisant les différents stades de la philosophie bouddhique.

Parmi tous les vestiges qui reflètent encore la splendeur de cette capitale, trois statues sont particulièrement émouvantes : ce sont des bouddhas géants, taillés dans le roc, qui semblent émerger de la pierre pour transmettre aux vivants toute la sérénité divine.

▲

C'est Parakrama Bahu Ier, l'énergique souverain dont le règne fut l'âge d'or de Polonnaruwa (XIIe s.), qui fit construire le Lankatilaka Vihara, haut monument de brique qui a perdu sa voûte et dont le bouddha géant a été décapité.
Phot. Gerster-Rapho

Le grand bouddha couché (il a près de 15 m de long) repose, bienheureux au moment de sa mort, un bras allongé le long du corps, l'autre sous sa tête, dans une attitude de paix infinie. Il a atteint le nirvana, le dépassement final du moi, l'évasion hors du cycle des existences. Tout est symbole : les lotus gravés sur la plante des pieds représentent la double nature de l'homme, les racines plongeant dans le limon de la terre, et les fleurs, dans toute leur pureté, se tendant vers le soleil.

Faisant corps avec la même roche, en une harmonie où le dessin naturel des veines de la pierre semble souligner l'élan magistral des lignes créées par le sculpteur, un autre bouddha se dresse, debout, hiératique, les bras croisés sur sa poitrine. Certains y voient la représentation d'Ananda, un des disciples préférés du Bouddha. La troisième statue, haute de 5 m, est un bouddha assis, en position de méditation. Les fidèles qui viennent constamment déposer des offrandes et des fleurs ajoutent à la sublime beauté de cet endroit l'atmosphère de ferveur que seuls peuvent engendrer les lieux inspirés.

Le nid d'aigle du roi parricide

À Sigiriya, gigantesque rocher couronné d'une inexpugnable forteresse du Ve siècle, les énigmatiques bouddhas sculptés dans la pierre font place à de ravissantes personnes peintes sur la muraille. Quelques restes de fortifica-

▲

Le sanctuaire rupestre du Gal Vihara, à Polonnaruwa, recèle trois statues colossales, taillées à même le rocher : ce bouddha assis sur un trône, dans l'attitude de la méditation, mesure 5 m de haut.
Phot. S. Held

tions, de douves, de jardins et de terrasses entourent le rocher du Lion, un énorme bloc de granite rouge, haut de près de 200 m, surgissant au-dessus des frondaisons. Ce fut le dernier refuge d'un roi parricide, Kasyapa. Craignant la vengeance de son frère Moggalana, l'héritier légitime, il fit construire dans le roc un palais-forteresse. Souverain mécène, il fit venir dans cette retraite grandiose les meilleurs artistes de l'époque et vécut dans le luxe et la débauche jusqu'au jour où, vaincu par Moggalana, il se trancha la gorge. Dévastée, la citadelle de Sigiriya tomba alors en ruine ; sa gloire n'avait duré que dix-huit ans.

De ce palais insensé, avec ses plates-formes étagées, ses temples creusés dans le roc, il reste, sur la paroi rocheuse revêtue d'un enduit de plâtre, de magnifiques fresques parfaitement conservées. Dans la douceur des ocres jaunes, dans la chaleur des ocres rouges apparaissent des créatures de rêve, à demi nues et parées de bijoux, colliers, pendentifs, bracelets et diadèmes sertis de pierres précieuses. Dans leurs mains, des corbeilles d'offrandes pleines de fleurs et de fruits ; entre leurs doigts, des boutons de lotus. Visages délicats où s'esquissent des sourires, gestes raffinés, poses toutes de grâce, quelles sont ces créatures au charme sensuel et mystérieux ? Des dames de la cour de Kasyapa, accompagnées de leurs servantes, ou des *Apsaras*, divinités de la mythologie hindoue, émergeant des nuages ?

Il ne subsiste qu'une vingtaine de ces peintures, miraculeusement conservées, à l'abri de

▶

La plus grande et la plus émouvante des trois statues géantes du Gal Vihara est un bouddha couché de 14 m de long : parfaite expression de la sérénité, elle symbolise l'entrée de l'Illuminé dans le nirvana.
Phot. S. Held

la pluie et du vent, dans une galerie qu'un petit escalier de fer, accroché à la paroi, permet d'atteindre à mi-hauteur de la falaise. Cette galerie se prolonge et contourne le rocher pour déboucher, après une volée de marches, sur la plate-forme où se dressait le palais. Là, entre deux pattes de lion d'une puissance étonnante,

sculptées dans la roche, longues de 4,50 m et terminées par d'immenses griffes, part l'escalier menant aux ruines de la forteresse qui couronnait l'ensemble. On y trouve encore les traces d'un trône rupestre, tourné vers le soleil levant. De ce nid d'aigle, à la fois site naturel et œuvre d'art, on découvre l'ordonnance parfaite des jardins du palais, puis, dans le lointain, les montagnes bleutées se noyant dans l'océan vert sombre de la jungle.

Bêtes sauvages, joyaux et cocotiers

Dans la jungle de Ceylan vivent encore à l'état sauvage des éléphants, des ours, des cerfs, des buffles et des léopards, parmi une multitude d'oiseaux. Vision irréelle et merveilleuse que celle d'un paon majestueux prenant son vol et venant se poser dans les hautes branches d'un arbre ! Plusieurs réserves, notamment celles de Yala et de Wilpattu, bien aménagées, permettent — avec un peu de chance — de découvrir les animaux dans leur milieu naturel.

Les montagnes et les collines du centre-sud de l'île, en particulier dans la région de Nuwara Eliya, sont couvertes de plantations de théiers. Sur des milliers d'hectares, les arbustes aux têtes arrondies couvrent les pentes, jusqu'à près de 2 000 m d'altitude, de leur moutonnement aux reflets de velours. En général, ce sont de jeunes Tamoules qui travaillent dans les plantations. D'un geste rapide, elles cueillent les deux dernières feuilles et le bourgeon

◄

Protégées des intempéries par un surplomb de la falaise, les mystérieuses « Demoiselles des nuages », peintes par un artiste inconnu dans un renfoncement du piton rocheux, séduisent depuis quinze cents ans les visiteurs du nid d'aigle de Sigiriya.
Phot. S. Held

▲ *De gigantesques pattes de lion encadrent l'escalier menant à la dernière plate-forme de Sigiriya, l'inexpugnable forteresse édifiée par le roi Kasyapa, parricide et usurpateur, pour échapper à la vindicte de son frère.*
Phot. AFIP

▶ *Sur le sommet arasé du roc du Lion, quelques vestiges de la citadelle de Sigiriya, dont les palais et les bastions ne furent occupés qu'une dizaine d'années, dominent un splendide panorama de forêts et de montagnes.*
Phot. C. Lénars.

terminal de chaque rameau, et les jettent dans un grand panier d'osier, retenu sur leur dos par une sangle prenant appui sur leur tête. La culture du théier, implantée à Ceylan par les Anglais en 1839, en remplacement de celle du café ravagée par la maladie, fut une réussite extraordinaire. La première vente aux enchères de « thé de Ceylan » eut lieu à Londres en 1882.

Il est dans cette île une région fabuleuse, celle de Ratnapura. Les montagnes y recèlent au moins 17 variétés de pierres précieuses et semi-précieuses : saphirs bleus, parfois étoilés, rubis, aigues-marines, œils-de-chat, grenats, pierres de lune, améthystes, etc. On les trouve dans les lits des rivières ou au fond des puits de mine creusés aux environs de Ratnapura, la capitale des gemmes, où de nombreux ateliers polissent et taillent toutes ces pierres.

La plupart des côtes de Ceylan sont bordées de plages dont le sable doré se déroule à l'infini, ombragé par des cocotiers en rangs serrés. Au nord de Colombo, le bourg pittoresque de Negombo, fortifié au XVIe et au XVIIe siècle par les Portugais et les Hollandais, était autrefois le centre du commerce de la cannelle. Une lagune double le littoral. Les catamarans, longues pirogues à flotteurs et grande voile carrée, viennent s'y abriter au retour de la pêche aux gros poissons : thons, raies, barracudas et requins.

La route qui longe la côte du sud-ouest traverse des cocoteraies et une série de villages où les maisons aux toits de palmes sont nichées parmi les fleurs. Près de Weligama, d'étonnants pêcheurs, juchés en équilibre sur des pieux de bois plantés en mer, restent immobiles pendant

des heures, les yeux fixés sur leur ligne dans l'attente des poissons.

D'anciennes places fortes ponctuent ces rivages. Dès le début du XVIe siècle, Galle vit les Portugais s'établir dans sa rade. Ils furent suivis par les Hollandais qui, au XVIIe siècle, firent du port leur base principale. De ce passé, il reste une citadelle, dont les remparts enserrent une vieille église hollandaise et de vénérables demeures aux jolis portails sculptés. Matara a conservé une belle tour, souvenir des fortifications qui l'entouraient à l'époque de l'occupation hollandaise, lorsque son port jouait un rôle de premier plan dans l'exportation des épices.

Lorsque le Bouddha est représenté debout, la main droite levée, comme celui d'Aukana, statue monolithe de 15 m de haut perdue dans les bois aux environs d'Anuradhapura, il symbolise la protection qu'il accorde aux humains.
Phot. Top

Introduit à Ceylan par les Britanniques dans la seconde moitié du XIXe siècle, le thé est devenu la principale richesse de l'île, qui est le deuxième producteur mondial après l'Inde.
Phot. E. Mendels

Les îles Maldives, dont la plupart sont désertes ou peuplées seulement de quelques pêcheurs, sont des atolls couverts de cocotiers, émergeant à peine de l'océan.
Phot. S. Held